La Mondialisation

Serge D'AGOSTINO

Agrégé de sciences sociales
Professeur de chaire supérieure
au lycée Camille Vernet de Valence

1, rue de Rome – 93561 Rosny Cedex

Collection

Thèmes & Débats économie

dirigée par **Marc Montoussé**

Le Chômage (Patrice Pourcel)

Nouvelles théories économiques – clés de lecture (Marc Montoussé)

Stratégie des entreprises et efficacité économique (Jean-Marc Huart)

Collection

Thèmes & Débats sociologie

dirigée par **Jean Étienne**

La Culture (Jean Fleury)

La Socialisation (Dominique Bolliet et Jean-Pierre Schmitt)

Travail et intégration sociale (Bruno Flacher)

Normes et déviances (Véronique Pillon)

ISBN 2 84291 966 1

AVANT-PROPOS

L'objectif de la collection « Thèmes et Débats Économie » est de présenter de façon simple et accessible, mais néanmoins complète, l'essentiel des concepts et des mécanismes propres à un thème économique à travers ses débats et ses grandes questions.

Chaque chapitre est développé à partir d'une question simple. A chaque fois, les différentes théories ou courants de pensées en présence sont clairement exposés et aussi souvent que possible illustrés par des exemples. Cela permet au lecteur de maîtriser les principaux enjeux de chacune des facettes d'un problème économique.

Les ouvrages de cette collection s'adressent aux lycéens et aux étudiants qui doivent, dans leur cursus, s'initier aux sciences économiques, mais aussi à tous ceux qui s'intéressent aux grands débats économiques actuels.

Cet ouvrage, *La mondialisation*, présente les principales questions autour desquelles s'articulent les débats suscités par l'insertion croissante des pays dans l'économie mondiale. Il permet au lecteur de saisir les grands enjeux de la mondialisation qui, sans être un phénomène totalement nouveau, revêt aujourd'hui certains caractères spécifiques.

Ce tour d'horizon des débats sur la mondialisation, dont la plupart restent ouverts, montre que les pays ne sont pas condamnés à choisir entre une soumission totale au marché mondial et un interventionnisme public niant toute vertu aux mécanismes de marché. En effet, de nombreuses options intermédiaires élargissent leur gamme de choix.

Pour prolonger sa réflexion, le lecteur trouvera, en fin d'ouvrage, une courte bibliographie présentant une série d'ouvrages accessibles.

Marc Montoussé

Directeur de la collection
« Thèmes et Débats Économie ».

SOMMAIRE

INTRODUCTION

Depuis deux siècles, la tendance à l'internationalisation des économies nationales est avérée : elle est caractérisée par l'essor des échanges internationaux résultant d'une insertion accrue des pays dans l'économie mondiale. Ces échanges portent sur des marchandises, des services, des capitaux ; s'y ajoutent les migrations internationales des travailleurs.

Depuis les années 70-80, l'internationalisation des économies nationales s'amplifie : elle participe au processus de mondialisation, c'est-à-dire à l'émergence d'un vaste marché mondial des biens, des services, des capitaux et de la force de travail, s'affranchissant de plus en plus des frontières politiques des États, et accentuant les interdépendances entre les pays.

« Internationalisation » et « mondialisation » sont des termes considérés fréquemment comme des synonymes. Toutefois, pour de nombreux auteurs, la mondialisation constitue une véritable mutation. Pour Jacques Adda (*la Mondialisation de l'économie*, 2000), elle relève d'une logique spécifique qui la différencie de l'internationalisation : la mondialisation, c'est-à-dire « l'intégration croissante des parties constituant le tout de l'économie mondiale, donne à celle-ci une dynamique propre, échappant de plus en plus au contrôle des États et portant atteinte aux attributs essentiels de leur souveraineté, tels le contrôle monétaire et la gestion des finances publiques ». Dans cette perspective, la mondialisation constitue non pas la continuité de l'internationalisation mais plutôt une rupture qui contribue à instituer un nouvel ordre planétaire.

Toutefois, l'observation des faits révèle que l'intégration des économies nationales au sein de l'économie mondiale est loin d'être achevée : certains obstacles à la libre circulation des biens, des services, des capitaux et des hommes, subsistent. De même, les États nationaux n'ont pas totalement perdu leur pouvoir d'intervention dans le champ de l'économie nationale. Ainsi, plutôt qu'une rupture, la mondialisation apparaît comme un approfondissement de l'internationalisation provoquée par l'élimination progressive, voire la disparition, des entraves aux échanges internationaux.

Ces deux conceptions de la mondialisation (rupture ou continuité) suscitent de nombreux débats dont les termes sont exposés dans cet ouvrage.

Le terme « mondialisation » (ou « globalisation ») apparaît au cours des années 60. Mais c'est surtout depuis le début des années 80, que son usage se répand. Par conséquent la mondialisation paraît être un phénomène nouveau. Qu'en est-il réellement (chapitre 1) ?

Depuis une trentaine d'années, la constitution de blocs régionaux favorisant les échanges entre les pays qui en sont membres s'accélère au sein de l'économie mondiale. Cette régionalisation des échanges n'est-elle pas un frein à la mondialisation (chapitre 2) ?

La mondialisation suppose l'élimination des entraves aux échanges internationaux. De ce fait, les échanges de biens et de services entre pays peuvent s'accroître ; toutefois, les obstacles aux échanges n'ont pas totalement disparu. Est-ce suffisant pour que le débat libre-échange/protectionnisme ait encore un sens (chapitre 3) ?

La mondialisation multiplie les échanges internationaux, accroît les interdépendances entre les pays et impose des transformations structurelles au sein de chacun d'eux. Les pays développés et les pays en développement vont-ils en bénéficier ou en pâtir (chapitres 4 et 5) ? La mondialisation favorise-t-elle le développement durable (chapitre 6) ? Conduit-elle les États-nations à converger vers un même modèle de société (chapitre 7) ?

L'internationalisation des économies nationales s'est traduite notamment par la multinationalisation des firmes. Comment les entreprises se multinationalisent-elles (chapitre 8) ?

Par ailleurs, la mondialisation contribue à la constitution d'un vaste marché mondial des capitaux. Ces flux ne sont-ils pas un facteur d'instabilité internationale (chapitre 9) ? Enfin, la constitution d'un vaste marché mondial ôte-t-elle aux États toute marge de manœuvre (chapitre 10) ?

CHAPITRE 1

La mondialisation est-elle un phénomène nouveau ?

Au début du XXe siècle, l'internationalisation des économies nationales était déjà forte. Après un effondrement des échanges au début de la Première Guerre mondiale, l'internationalisation reprend jusqu'à la crise de 1929 ; cette crise marque le début d'une période au cours de laquelle les principaux pays industrialisés renforcent leur arsenal protectionniste, limitent l'immigration et les flux de capitaux, et se replient sur leurs zones d'influence.

Après le second conflit mondial, s'ouvre une nouvelle phase d'internationalisation dont l'intensité dépasse aujourd'hui celle du début du siècle.

1. – L'insertion des économies nationales dans le commerce international n'est pas un phénomène nouveau mais elle est actuellement très intense

a. – L'insertion des pays dans le commerce international est aujourd'hui plus marquée qu'elle ne l'était au début du XXe siècle

Depuis 1800, le volume du commerce international des biens et des services a été multiplié par 1 000 environ et le PNB mondial, par plus de 60. Ces données traduisent l'intégration croissante des économies nationales dans l'économie mondiale et impliquent l'élévation du taux d'exportation des pays (part des exportations dans le PIB) ou de leur taux d'ouverture (moyenne des importations et des exportations, exprimée en pourcentage du PIB).

Toutefois, la croissance du commerce international intervient principalement avant 1913 et depuis la fin des années 40 : en effet, entre 1913 et la fin des années 40, le commerce international s'est accru modérément et surtout irrégulièrement ; en outre, le volume des exportations mondiales a moins augmenté que le PNB mondial. Selon l'historien et économiste Paul Bairoch, le taux d'exportation de marchandises des pays aujourd'hui développés était de 15 % en 1913 et inférieur à 10 % en 1950 ; actuellement, selon l'Organisation de coopération et de développement économique (OCDE), il est supérieur à 20 % (le niveau de 1913 n'a été dépassé qu'au cours des années 70).

Le taux d'exportation de marchandises des actuels pays en développement (PED) est dans certains cas supérieur au début du XXIe siècle à ce qu'il était au début du XXe : c'est le cas en Asie de l'Est et du Sud-est ; dans d'autres cas, il est inférieur (Brésil, Inde...). Selon Bairoch, le taux d'exportation de l'ensemble des pays correspondant aux actuels PED était de 19 à 24 % en 1913. Depuis, il a fluctué selon les périodes. Il atteint aujourd'hui un niveau comparable à celui de 1913.

b. – Au début du XXIe siècle, la structure du commerce international présente plusieurs particularités par rapport au début du XXe siècle

Comme au début du XXe siècle, les pays développés occupent, aujourd'hui, une place prépondérante dans le commerce international (70 % des exportations de marchandises, en 2000) et commercent pour l'essentiel entre eux. Actuellement, le commerce international porte très majoritairement sur des produits manufacturés : ceux-ci représentent 80 % des échanges mondiaux de marchandises en 2000 contre environ un tiers au début du siècle. Très largement majoritaires dans les exportations des pays développés, ces produits représentent dorénavant plus des deux tiers des exportations de marchandises des PED contre 10 % au XIXe siècle (toutefois, plus de 80 % des exportations de produits manufacturés des PED sont le fait d'une dizaine de pays seulement, la plupart des autres PED exportant des produits primaires).

En outre, l'essor, depuis plus d'un siècle, des firmes multinationales (FMN) s'est traduit par la croissance des échanges internationaux de biens et services au sein des groupes multinationaux (commerce intragroupe ou intra-entreprise). Ils représentent aujourd'hui plus d'un tiers du commerce international. Cette part serait plus importante si était pris en compte le commerce international de biens et services induit par les relations entre les FMN et leurs sous-traitants juridiquement indépendants. La multinationalisation des firmes s'est d'ailleurs traduite par une décomposition ou division internationale des processus productifs (DIPP) : celle-ci consiste pour une firme multinationale à décomposer le processus de production d'un bien en plusieurs opérations prises en charge par des unités de production implantées dans différents pays. Il en résulte une intensification des flux d'échanges intragroupes dont le volume est bien plus important qu'il ne l'était au début du siècle.

Enfin, l'évolution du commerce international, à la fin du XXe siècle, est marquée par la croissance des échanges intrabranches entre pays développés : il s'agit d'échanges croisés concernant des produits similaires issus des mêmes branches (par exemple, les automobiles apparaissent à la fois dans les exportations et les importations d'un pays pour des montants significatifs). Les échanges intrabranches peuvent concerner des produits similaires de même niveau de gamme mais différenciés horizontalement selon la marque ou l'image qu'en font les acheteurs : par exemple, les Français achètent des voitures allemandes pour leur robustesse supposée ou réelle ; les Allemands acquièrent des voitures françaises pour leur confort. Les échanges intrabranches peuvent également concerner des produits similaires de gammes différentes (des automobiles de bas de gamme contre des automobiles de haut de gamme) : la différenciation des produits est dans ce cas verticale.

2. – L'internationalisation des capitaux et de la force de travail n'est pas un phénomène nouveau mais elle atteint aujourd'hui une très grande ampleur

a. – L'internationalisation des flux de capitaux est une réalité dès le début du XXe siècle

Au début du XXe siècle, l'internationalisation des capitaux atteignait un niveau élevé (puis, à partir de la Première Guerre mondiale, le degré d'internationalisation régresse jusqu'aux années 60). À cette époque, la libre circulation des capitaux est la règle dans une économie mondiale dominée par les pays occidentaux qui ont adopté l'étalon or. Selon Bairoch, ces flux de capitaux sont pour 80-90 % d'entre eux des investissements de portefeuille dont 90 % proviennent des pays les plus avancés, en particulier européens.

Depuis plus de 20 ans, les flux de capitaux internationaux sont fortement croissants : la déréglementation, la multiplication des innovations financières (nouvelles formes de placements), l'essor des nouvelles technologies de l'information et de la communication, y ont contribué.

La croissance des investissements de portefeuille (placements internationaux en actions et obligations) et autres opérations financières (prêts et emprunts transfrontaliers, dépôts à l'étranger...) participent, conjointement avec les investissements des FMN, à l'internationalisation croissante des économies nationales et à la mondialisation.

Au début du siècle, la part des placements à court terme était modeste. En revanche, depuis 20 à 30 ans, les innovations financières ont accru les opportunités de placements à court terme : les capitaux volatils circulent de place financière en place financière selon les opportunités de gains offertes aux détenteurs de capitaux. Les placements à long terme bénéficient également de supports plus diversifiés qu'au début du siècle et répondent, pour une part, aux besoins de financement des PED, dont la dette extérieure dépasse aujourd'hui 2 000 milliards de dollars et, pour une part plus importante, aux besoins de financement des agents économiques vivant dans les pays développés.

b. – Le poids dans l'économie mondiale des investissements à l'étranger des firmes multinationales dépasse depuis peu son niveau du début du XXe siècle

Les investissements directs à l'étranger (IDE) doivent être distingués des investissements de portefeuille, lesquels correspondent à des opérations conduites selon une logique financière et non pas pour développer une activité productive à l'étranger. Pour le Fonds monétaire international (FMI), les IDE correspondent aux mouvements de capitaux générés par des entreprises développant leurs activités productives à l'étranger (les flux d'IDE alimentent le stock d'IDE des firmes multinationales, c'est-à-dire le stock de capital qu'elles détiennent à l'étranger). Ces flux d'IDE revêtent plusieurs formes :

– l'implantation d'une unité de production à l'étranger ;

– l'acquisition d'une part du capital social d'une entreprise étrangère déjà existante en vue d'en contrôler la gestion (le FMI fixe la part minimale à 10 %) ;

– le réinvestissement sur place des bénéfices réalisés par les unités de production sous contrôle (dans ce cas, il n'y a pas de mouvements de capitaux) ;

– les opérations financières (prêts, participation au capital social, avances de fonds) intervenant entre la maison mère et les unités de production étrangères qu'elle contrôle.

Sur longue période, l'essor des IDE des FMN est particulièrement marqué de la fin du XIXe siècle à 1914, et depuis les années 80. Selon Bairoch, le volume des IDE enregistré au milieu des années 90 représenterait 7 à 10 fois celui de 1913. Cependant, ces flux d'IDE, évalués en pourcentage du PIB mondial, étaient encore en deçà de leur niveau de 1913 (1 % en 1995 contre 2 %, voire plus, en 1913). Toutefois, une très forte accélération des IDE est intervenue depuis 1995 du fait de l'accélération du processus de concentration des entreprises : leur montant global représenterait un peu plus de 1 200 milliards de dollars en 2000, soit environ 3 % du PIB mondial, c'est-à-dire un pourcentage supérieur à celui avancé par Bairoch pour 1913 (2 %).

Quant au stock d'investissements directs à l'étranger, Bairoch l'évalue à 15 milliards de dollars environ en 1913 et à 2 700 milliards de dollars en 1995 (dollars courants). À la veille de la Première Guerre mondiale, le stock d'IDE représente 12 à 15 % du PIB mondial, soit davantage qu'au milieu des années 90 (moins de 10 % du PIB mondial). Depuis 1995, l'accélération très forte des flux d'IDE accroît de manière importante le stock d'investissements à l'étranger des FMN : il représente actuellement plus de 15 % du PIB mondial, un pourcentage plus élevé que la limite supérieure de la fourchette retenue par Bairoch pour 1913.

c. – Comme au début du XXe siècle, l'internationalisation des économies nationales passe par les migrations internationales des travailleurs

Au début du XXe siècle, les flux migratoires atteignent un haut niveau : provenant pour l'essentiel d'Europe, en particulier des îles Britanniques puis d'Europe centrale et d'Italie, ils ont pour destination les États-Unis : ceux-ci absorbent les deux tiers des immigrants européens (les autres s'établissant en Argentine, au Brésil, au Canada, en Australie et en France). Pour l'essentiel, ces flux migratoires répondent aux besoins de main-d'œuvre des pays neufs ; pour la plupart des immigrants, il s'agit d'améliorer leurs conditions de vie (misère, manquements aux libertés…). Les progrès accomplis dans les transports maritimes ont par ailleurs contribué à l'accroissement des flux migratoires.

Les flux migratoires internationaux contemporains présentent quelques particularités par rapport à ceux du début du siècle. Facilités par la réduction des coûts des transports, ils sont orientés vers les pays développés : États-Unis (qui drainent plus de la moitié des migrants), Canada, Australie, comme au début du siècle ; mais l'Europe occidentale (France, Allemagne, Italie...) est devenue zone d'immigration. De plus, les migrants proviennent des pays en développement et, depuis le début des années 1990, des ex pays socialistes d'Europe de l'Est et de l'ex-URSS.

En outre, les flux migratoires ne sont pas tous orientés vers les pays développés : d'importants mouvements en provenance des PED se font en direction d'autres PED (en particulier vers les pays pétroliers du Moyen-Orient ou les pays asiatiques émergents) ; de plus, certains pays en développement sont à la fois pays d'émigration et pays d'immigration (par exemple, le Mexique, la Thaïlande, la Malaisie).

Aux causes traditionnelles d'immigration (besoin de main-d'œuvre de certains pays et faiblesse du niveau de vie dans les pays d'origine) s'ajoutent d'autres causes : rapprochements familiaux, demandes d'asile consécutives aux troubles intérieurs affectant les pays d'émigration. Par ailleurs, les flux migratoires clandestins tendent à croître en même temps que les pays d'immigration cherchent à renforcer leurs contrôles à l'entrée de leur territoire. En effet, la déréglementation des mouvements migratoires n'est pas au niveau de celle des mouvements de capitaux ou des échanges internationaux de biens et services : les États tendent à préserver, voire renforcer, les contrôles qu'ils exercent sur les flux d'immigration.

3. – La régionalisation des échanges et l'intervention des institutions internationales caractérisent la mondialisation actuelle

a. – La régionalisation des échanges n'est pas un phénomène totalement nouveau mais elle s'accélère considérablement depuis les années 60

La régionalisation des échanges correspond à la constitution, par un groupe de pays, d'un espace économique intégré (ou bloc régional) au sein duquel les barrières douanières sont réduites, puis généralement supprimées ; ces pays peuvent également viser à éliminer les entraves aux flux de capitaux et de main-d'œuvre au sein du bloc régional.

Depuis le XIXe siècle et jusqu'aux années 50, plusieurs accords créent des zones régionales d'échanges : par exemple, en 1833, des États allemands constituent le *Zollverein*, une union douanière prévoyant le libre-échange au sein de la zone et une politique commerciale commune à l'égard des pays tiers. D'autres expériences suivront (voir chapitre 2).

À partir des années 60, le mouvement de régionalisation des échanges s'accélère ; de nombreuses zones régionales d'échanges sont constituées sur tous les continents : Marché commun centre-américain (1960), Pacte andin (1969), Accord de libre-échange entre l'Australie et la Nouvelle-Zélande (1965), Communauté économique des États d'Afrique de l'Ouest (1975) ...

En Europe, l'Association européenne de libre-échange (AELE) est établie en 1960 ; la Communauté économique européenne (CEE), instituée en mars 1957 par le traité de Rome, entre en vigueur en 1960 ; en 1993, elle devient l'Union européenne au sein de laquelle circulent librement biens, services, capitaux et travailleurs (voir chapitre 2).

b. – La forte présence des institutions internationales dans l'économie mondiale confère à la mondialisation actuelle un caractère inédit

Au début du XXe siècle, les institutions internationales chargées de superviser les échanges internationaux sont inexistantes. Toutefois, plusieurs institutions à caractère technique (Union internationales des télécommunications, Union postale universelle...) favorisent la coopération internationale dans certains domaines.

Aujourd'hui, les institutions internationales sont très présentes dans les différents compartiments de l'économie mondiale et influent sur l'évolution des échanges internationaux quelle qu'en soit la nature.

Ainsi, dans le domaine des échanges commerciaux, l'Organisation mondiale du commerce (OMC), instituée en 1995, perpétue la tendance qu'avait initiée l'Accord général sur les tarifs et le commerce (AGETAC) ou, en anglais, *General Agreement on Tariffs and Trade* (GATT) : il s'agit d'un traité signé en 1947 par 23 pays, destiné à promouvoir le libre-échange et le multilatéralisme. Composée de 144 pays en décembre 2001, l'OMC contribue à l'élimination des obstacles au commerce international et concourt au règlement des conflits commerciaux entre pays (voir chapitre 3).

Dans les domaines monétaire et financier, plusieurs institutions internationales jouent un rôle important dans l'économie mondialisée.

Le FMI, créé en 1944 par la conférence de Bretton Woods pour veiller au bon fonctionnement du système monétaire international, exerce de nouvelles fonctions depuis l'officialisation des changes flottants en 1976 (accords de la Jamaïque) : dorénavant, il doit contribuer à gérer les risques attachés à l'endettement extérieur des PED, au passage au capitalisme des pays d'Europe centrale et orientale (PECO), à l'instabilité des capitaux pouvant provoquer des crises monétaires et financières (par exemple, la crise asiatique). Il exerce certaines de ses activités conjointement avec d'autres institutions internationales – la Banque internationale pour la reconstruction et le développement (BIRD), ou Banque mondiale, créée en 1945, la Banque européenne pour la reconstruction et le développement (BERD), instituée en 1990... –, ou conjointement à des pays. Par exemple, le FMI impulse des politiques d'ajustement structurel dans les pays en développement endettés avec le concours de la Banque mondiale ; avec les États-Unis, il a fourni au Mexique les capitaux nécessaires au règlement de la crise de 1994-1995. Il a fait de même en Asie, avec le concours du Japon et de la Chine...

La Banque des règlements internationaux (BRI), fondée en 1930 pour gérer les réparations allemandes et dont les actionnaires sont des banques centrales, exerce une fonction de coopération internationale : elle facilite la concertation entre les banques centrales et leur fournit une assistance ; elle est chargée d'accroître la sécurité du système financier international en collaboration avec d'autres instances...

Au niveau politique, l'Organisation des Nations unies (ONU), créée en 1945, œuvre pour la paix dans le monde mais aussi pour le développement économique et social. À cette fin, plusieurs institutions spécialisées sont chargées au sein du système des Nations unies (mais en étant autonomes par rapport à l'ONU) de renforcer la coopération des nations dans certains domaines. Outre le FMI et la Banque mondiale, la FAO (*Food and Agricultural Organization*), l'UNESCO (*United Nations Educational, Scientific and Cultural Organization*), l'OIT (Organisation internationale du travail, créée dès 1919)... agissent dans leur domaine respectif pour intensifier la coopération intergouvernementale. Au sein même de l'ONU, la Conférence des Nations unies sur le commerce et le développement (CNUCED ou, en anglais, UNCTAD, *United Nations Conference on Trade and Development*), constituée en 1964, réunit tous les 4 ans les pays développés et les pays en développement membres de l'ONU : son objectif est de favoriser le développement des PED en assurant leur insertion dans l'économie mondiale.

Par ailleurs, le G7, constitué en 1975, réunit les dirigeants politiques des sept pays les plus industrialisés (auxquels se joint le président de la Commission européenne) qui, lors de sommets des chefs d'État et de gouvernement (ou de réunions ministérielles), tentent d'établir une coopération minimale entre ces pays. Depuis 1997, la Russie est associée aux travaux (G8). Par le passé, le G7 a réussi à coordonner les actions des pays-membres : par exemple, le sommet de Tokyo, en 1979, a décrété prioritaire la lutte contre l'inflation ; l'accord du Louvre en 1987 a permis de stabiliser le cours du dollar. Même en l'absence d'actions concertées tangibles, les sommets du G7 ou du G8 entretiennent le dialogue entre les chefs d'État et de gouvernement des principales puissances planétaires.

L'internationalisation que connaissent actuellement les économies nationales n'est pas un phénomène inédit. Toutefois, elle revêt certains caractères particuliers et une ampleur qui la distinguent de celle du début du XXe siècle et qui expliquent pourquoi de nombreux auteurs voient en elle un processus plus profond traduisant la mondialisation des économies.

CHAPITRE 2

La régionalisation des échanges s'oppose-t-elle à la mondialisation ?

Depuis la fin des années 40, les zones régionales d'échanges se sont multipliées, renforçant l'intégration économique des pays. Celle-ci est un processus par lequel plusieurs pays constituent un même espace économique (ou bloc régional) au sein duquel les obstacles aux échanges internationaux tendent à être abolis.

1. – L'intégration économique consécutive à la constitution d'espaces régionaux peut être plus ou moins intense

a. – L'intégration économique revêt différentes modalités

La constitution d'une zone de libre-échange constitue un premier niveau d'intégration : les barrières douanières sont progressivement abolies. L'Accord de libre-échange nord-américain (ALENA), signé par le Canada, les États-Unis et le Mexique en 1992 et appliqué depuis 1994, en est un exemple. C'est aussi le cas de l'ASEAN (*Association of South-East Asian Nations*), fondée en 1967, qui regroupe plusieurs pays d'Asie du Sud-Est : l'Indonésie, la Malaisie, les Philippines, Singapour et la Thaïlande, dès 1967, puis Brunei (1984), le Vietnam (1995), la Birmanie et le Laos (1997). Un accord signé en 1993, prévoit l'institution d'une zone de libre-échange entre ces pays, qui devrait être pleinement réalisée en 2003, l'AFTA (*ASEAN Free Trade Area*)...

Lorsque les pays appartenant à une zone de libre-échange appliquent une politique commerciale commune aux pays tiers (notamment un tarif douanier commun), ils constituent une union douanière, comme la Communauté andine (Bolivie, Pérou, Venezuela, Colombie et Équateur), depuis 1995.

L'intégration économique est renforcée lorsque au sein d'une union douanière, la libre circulation des biens, des services, des capitaux et des hommes est assurée. Les pays membres de l'union constituent alors un marché commun (ou marché unique). C'est le cas, depuis 1995, du MERCOSUR (*Mercado comùn del Sur*) qui rèunit le Brésil, l'Argentine, le Paraguay et l'Uruguay (depuis 1996, le Chili et la Bolivie sont associés au MERCOSUR par des accords de libre-échange).

Un marché commun devient une union économique dès lors que ses membres coordonnent leurs politiques économiques. Lorsque leur coopération monétaire est renforcée, ces pays constituent une union économique et monétaire. La coopération monétaire entre les pays de l'union peut aboutir à la création d'une monnaie unique : c'est le cas de l'Union européenne (UE) depuis 1999.

b. – La constitution de zones d'échanges prend une grande ampleur depuis les années 1960

Depuis le XIXe siècle et jusqu'aux années 50, plusieurs accords créent des zones régionales d'échanges : par exemple, en 1833, des États allemands instituent une union douanière, le *Zollverein*. En 1921, c'est le cas de la Belgique et du Luxembourg ; le Benelux (acronyme de Belgique, Nederland, Luxembourg) est une union douanière instituée en 1948. En 1951, la France, l'Allemagne, l'Italie, la Belgique, les Pays-Bas et le Luxembourg établissent une union douanière portant sur les échanges de charbon et d'acier, la Communauté européenne du charbon et de l'acier (CECA). Ces mêmes pays signent le traité de Rome en 1957, instituant la Communauté économique européenne : celle-ci est une union douanière dont la réalisation est effective en 1968 ; elle est devenue un marché commun ou marché unique depuis 1993.

À partir des années 60, le mouvement s'accélère. En Europe, l'Association européenne de libre-échange (AELE) établit, en 1960, une zone de libre-échange entre plusieurs pays européens : elle regroupe, dans un premier temps, la Grande-Bretagne, la Norvège, le Danemark, l'Autriche, le Portugal, la Suède, la Suisse et le Liechtenstein rejoints par la Finlande (1961) et l'Islande (1970).

Certains de ces pays adhéreront à la CEE (Danemark et Grande-Bretagne en 1973, Portugal en 1986, Finlande, Suède et Autriche en 1995), réduisant l'importance de la zone. En 1992, l'AELE signe un accord avec la CEE (accord de Porto) qui est entré en vigueur en 1994. Il crée un Espace économique européen (EEE) qui instaure une vaste zone de libre-échange, voire un véritable marché unique. Aujourd'hui, l'AELE est réduite à la Suisse (qui a refusé, à la suite d'un référendum en 1992, son adhésion à l'EEE), la Norvège, l'Islande et le Liechtenstein.

Depuis les années 60, de nombreuses zones régionales d'échanges ont été constituées sur tous les continents : Marché commun centre-américain (1960), Pacte andin (1966), Accord de libre-échange entre l'Australie et la Nouvelle-Zélande (1965), Communauté économique de l'Afrique de l'Ouest (1975), etc.

c. – Des modalités particulières d'intégration économique correspondent à une logique interrégionale

Des accords interrégionaux induisent l'intensification des échanges entre des pays géographiquement éloignés les uns des autres :

– L'*Asia-Pacific Economic Cooperation* (APEC), créée en 1989, est un forum de discussion réunissant vingt et un pays riverains du Pacifique (États-Unis, Mexique, Canada, Chili, Australie, Nouvelle-Zélande, Papouasie-Nouvelle-Guinée, Japon, Taiwan, Chine, Corée du Sud, Russie, Hong-Kong, Pérou, les membres de l'ASEAN sauf le Laos et la Birmanie). L'APEC souhaite constituer une zone de libre-échange en 2010 (pour les pays développés de l'association) ou 2020 (pour les pays en développement de l'association) et libéraliser les investissements des firmes multinationales au sein de la zone.

– À partir de 1975, la Communauté économique européenne (devenue Union européenne en 1993) accorde à soixante et onze pays d'Afrique-Caraïbes-Pacifique (ACP) l'accès au marché européen en franchise douanière sans que les pays ACP aient à accorder le même avantage aux produits européens et sans que l'Union européenne ait à le concéder à d'autres pays (convention de Lomé, plusieurs fois actualisée depuis 1975). Cette entorse à la clause de la nation la plus favorisée (voir chapitre 3) et au principe de réciprocité a été cependant agréée par le GATT. L'institution de l'OMC en janvier 1995 semble devoir remettre en cause ce type d'accords. En effet, s'ils sont clairement envisagés en faveur des pays les moins avancés, les engagements de l'OMC sont plus flous en ce qui concerne les autres pays en développement. C'est d'ailleurs pour se mettre en conformité avec les principes de l'OMC que l'Union européenne a signé un nouvel accord avec les pays ACP (accord de Cotonou de juillet 2000) prévoyant la constitution de zones de libre-échange avec des groupes de pays ACP en remplacement des accords de Lomé.

– Plusieurs accords lient des zones d'échanges entre elles (ou à des pays). Ainsi, la Bolivie et le Chili ont signé en 1996 un accord d'association libre-échangiste avec le MERCOSUR ; en 1995, l'Union européenne a signé un accord de coopération avec le MERCOSUR, prévoyant la constitution d'une zone de libre-échange entre les deux zones ; etc.

2. – La constitution de zones régionales d'échanges ne contredit pas les principes du libre-échange et de multilatéralisme

a. – Globalement, régionalisation et multilatéralisme sont compatibles

Certains auteurs dénoncent l'effet de détournement de commerce (« *trade diverting* ») en faveur des pays-membres induit par la constitution de zones régionales d'échanges. Il en résulte une spécialisation sous-optimale en regard de celle qui prévaudrait dans un contexte de libre-échange généralisé. En outre, les pays tiers victimes du détournement de commerce subiraient un ralentissement de leur croissance qui en retour ralentirait leurs importations et donc le commerce mondial. Le risque de conflits commerciaux majeurs serait en outre accru : les pays hors zone pourrait en effet multiplier les mesures de protection à titre de représailles...

Toutefois, d'autres auteurs insistent sur le caractère limité du détournement de commerce dans la mesure où les pays membres de la zone d'échanges commerçaient déjà essentiellement entre eux. En outre, les échanges intrazones, même s'ils se développent, représentent dans certaines unions régionales une part limitée des échanges : 20 à 25 % des échanges de l'AFTA et du MERCOSUR, 10 à 15 % de ceux de la Communauté andine... (mais 60 à 65 % de ceux de l'Union européenne et plus de 50 % de ceux de l'ALENA). De plus, la croissance économique induite par l'essor des échanges intrazones dope les importations en provenance des pays tiers et la recherche d'économies d'échelle destinées à réduire les coûts unitaires incite à exporter vers les pays hors zone (effet de création de commerce ou « *trade creating* »). Ainsi, la part des échanges extrazones dans le PIB des unions régionales augmente, sauf en Europe de l'Ouest. Cependant, dans ce dernier cas, le volume des échanges extrazones s'accroît.

Par ailleurs, la constitution de zones d'échanges permet aux pays membres de prendre conscience des interdépendances que suscite le commerce international et des règles attachées à la pratique du libre-échange. Rien n'interdit alors l'intégration de nouveaux membres ni des accords entre zones d'échanges ou avec des pays.

b. – La régionalisation des échanges est incompatible avec le multilatéralisme quand elle relève d'une logique d'autarcie

C'est le cas de la politique agricole commune européenne destinée à assurer l'autosuffisance alimentaire de l'Europe : la protection dont bénéficie l'agriculture européenne contredit les principes du multilatéralisme et du libre-échange. Il en est de même du projet européen Airbus. Toutefois, le projet communautaire européen ne se réduit pas à ces pratiques. Ainsi, de nombreux accords promouvant le libre-échange signés par l'Union européenne prouvent que celle-ci n'est pas la forteresse que certains dénoncent : la CEE puis l'UE se sont largement ouvertes aux autres pays (accords avec les PED-ACP, avec l'AELE par la constitution de l'EEE, avec les PECO, avec le MERCOSUR...).

En outre, les modalités de l'intégration économique européenne ont participé au processus de mondialisation. Il en est ainsi, par exemple, de la libre circulation des capitaux depuis 1990, qui a contribué à la globalisation financière. Enfin, il ne semble pas qu'il y ait eu détournement de commerce au détriment des pays tiers. La croissance des échanges européens a favorisé celle des échanges mondiaux. Par ailleurs, les politiques commerciales de l'UE mises en œuvre par la Commission de Bruxelles en fonction des orientations fixées par les dirigeants politiques des pays membres s'inscrivent très nettement dans une tendance libre-échangiste. Par exemple, la protection dont bénéficie l'agriculture a été progressivement réduite. Par conséquent, dans sa globalité, le régionalisme européen est compatible avec l'essor du multilatéralisme.

En revanche, le Conseil d'assistance économique mutuelle, le CAEM (en anglais, *Council for mutual economic assistance* ou COMECON), institué en 1949, est une forme de régionalisation totalement opposée au multilatéralisme et au libre-échange. Il regroupe la Bulgarie, la Hongrie, la Pologne, la Roumanie, la Tchécoslovaquie, l'Albanie (jusqu'à 1961) et l'URSS (la RDA y adhère en 1950, la Mongolie en 1962, Cuba en 1972 et le Vietnam en 1978). Cette organisation, destinée officiellement à renforcer la cohésion des États membres, est un instrument de domination de l'URSS sur le camp socialiste. Les échanges intrazones sont planifiés : les exportations sont destinées à couvrir les importations indispensables. Les dirigeants socialistes se méfient du libre-échange et privilégient l'autarcie.

Au début des années 60, des tentatives pour instaurer une forme de multilatéralisme au sein du CAEM et une division internationale socialiste du travail (DIST) entre pays socialistes enregistrent des résultats décevants. Il en est de même des échanges commerciaux avec l'Ouest au cours des années 70. Le CAEM ne pouvait promouvoir le libre-échange et le multilatéralisme en raison du fondement des économies socialistes. Il est dissous en juin 1991 alors que, depuis la fin des années 80, les PECO et l'ex-URSS ont déjà redéployé leurs échanges vers l'Ouest et entamé, depuis 1990-1991, leur transition vers le capitalisme.

3. – L'intégration européenne participe à la mondialisation en accentuant les interdépendances entre États

a. – Jusqu'aux années 80, l'intégration européenne progresse

Le 9 mai 1950, faisant suite aux réflexions du commissaire au plan Jean Monnet, le ministre français des Affaires étrangères, Robert Schuman, propose au gouvernement allemand « de placer l'union de la production franco-allemande de charbon et d'acier sous une Haute Autorité commune, et largement ouverte à la participation d'autres pays européens ». Ce projet est concrétisé par le traité de Paris (18 avril 1951), qui institue entre 6 pays (l'Allemagne, la France, l'Italie, le Luxembourg, la Belgique et les Pays-Bas), une union douanière dans les secteurs du charbon et de l'acier (et du minerai de fer), la CECA.

En mars 1957, la signature du traité de Rome par les six membres de la CECA renforce l'intégration économique de l'Europe de l'Ouest, par la création de la Communauté économique européenne, la CEE (ainsi qu'EURATOM dans le domaine du nucléaire).

Il s'agit d'instaurer, à long terme, un marché commun et, dans un avenir plus immédiat, une union douanière. À cet effet, le traité prévoit la suppression progressive des droits de douane et des contingents au sein de la zone, et un tarif extérieur commun, à échéance de 1970. C'est chose faite dès juillet 1968. Il en résulte une intégration économique plus intense des Six : le commerce intra communautaire représentait 27 % des échanges de la CEE à la fin des années 50 (12 % des échanges mondiaux) pour atteindre 52 % en 1967 (18 % des échanges mondiaux).

La politique agricole commune (PAC) participe au processus d'intégration. En effet, la PAC fixe un objectif d'autosuffisance alimentaire par un accroissement des rendements et de la production agricole. Des aides à la modernisation des exploitations agricoles, un système de prix agricoles garantis plus élevés que les cours mondiaux, une protection effective du marché européen, etc., stimulent l'activité agricole.

Par ailleurs, une partie du budget de la CEE finance des fonds spécifiques (fonds structurels) destinées à promouvoir des actions de formation, de qualification et d'insertion professionnelle (Fonds social européen créé dès 1957), de développement des régions en retard (Fonds européen de développement régional, mis en place en 1975), etc.

Par la suite, le nombre de pays membres de la CEE s'accroît. En 1973, trois nouveaux pays y adhèrent : le Danemark, la Grande-Bretagne et l'Irlande ; la Grèce les rejoint en 1981.

L'adhésion de nouveaux membres élargit la zone d'échanges de la communauté. Pourtant, l'intégration plafonne : la part des échanges intra communautaires est quasiment stagnante jusqu'en 1984. En effet, la crise pétrolière amène les Européens à chercher, hors de la communauté, de nouveaux débouchés, notamment dans les pays de l'OPEP. Néanmoins, malgré les difficultés rencontrées, les Européens réussissent à unir leurs efforts pour constituer un SME cohérent qui promeut la stabilité des changes au sein de la CEE.

Par ailleurs, sur le plan institutionnel, la CEE rencontre d'importants problèmes du fait du processus de décision qu'elle a adopté : celui-ci requiert un accord unanime des pays membres, au sein du Conseil des ministres de la CEE. En outre, l'objectif assigné par le traité de Rome – la création d'un marché commun – ne paraît pas devoir être réalisé. En 1985, un « livre blanc » publié par la Communauté de Bruxelles, alors présidée par Jacques Delors, recense les obstacles à la progression du projet européen. Il propose des mesures pour accentuer l'intégration en promouvant l'adoption de l'Acte unique européen. Celui-ci signé par douze pays après l'adhésion de l'Espagne et du Portugal en 1986, amende le traité de Rome et entre en vigueur en juillet 1987.

Dorénavant, beaucoup de décisions peuvent être prises à la majorité qualifiée : un nombre de voix dépendant en partie de la taille du pays est attribué à chaque pays membre. Dans certains cas, il n'est plus exigé l'unanimité mais un nombre minimal de voix. Cette procédure facilite les prises de décision. En outre, le Parlement européen (dont les premières élections au suffrage universel remontent à 1979) est davantage associé au processus décisionnel.

De plus, l'Acte unique prévoit la mise en œuvre d'un marché commun (marché unique) en 1993 : la réalisation des « quatre libertés » (libre circulation des marchandises, des services, des capitaux et des hommes), citées dans le traité de Rome, devient alors l'objectif à moyen terme de la CEE. L'intégration est relancée et les échanges intrazones représentent actuellement environ 65 % des échanges des pays membres.

Les institutions communautaires

– **Le Conseil européen** réunit les chefs d'État et de gouvernement des États membres et le président de la Commission. Au cours de sommets (au moins 2 fois par an), il fixe notamment les grandes orientations, les priorités, cherche des solutions aux problèmes de fonctionnement de l'Union que le Conseil de l'Union européenne n'a pu résoudre... La présidence du Conseil européen est assurée à tour de rôle par les États-membres et pour une période de 6 mois.

– **Le Conseil de l'Union européenne (ou Conseil des ministres)** réunit les ministres des États membres concernés par les questions à traiter. Il se réunit aussi souvent que nécessaire. Il adopte des actes communautaires que la Commission met en application. De nombreuses décisions sont prises à la majorité qualifiée ; d'autres requièrent l'unanimité (par exemple, les questions relevant de la fiscalité). Comme pour le Conseil européen, la présidence du Conseil des ministres est assurée à tour de rôle par les États membres pour une période de 6 mois.

– **La Commission** est composée de commissaires désignés d'un commun accord par les États membres, pour une durée de 5 ans, et agréés par le Parlement. Les commissaires exercent leur fonction en toute indépendance vis-à-vis de leurs gouvernements nationaux. La Commission veille au respect des traités communautaires. Elle traduit les décisions du Conseil européen en propositions (nouvelles réglementations, nouvelles politiques...), qui sont soumises au Parlement et au Conseil de l'Union. La Commission est chargée d'exécuter les actes communautaires décidés par le Conseil de l'Union.

– **Le Parlement européen** est élu au suffrage universel direct. Le mandat d'un député européen est de 5 ans. Le Parlement arrête chaque année le budget de l'Union. Il peut renverser la Commission par une motion de censure réunissant les deux tiers des députés. Il statue sur les propositions de la Commission, conjointement avec le Conseil de l'Union, avec lequel il partage, dans de nombreux domaines, un pouvoir de codécision dans l'élaboration de la législation communautaire.

– **D'autres institutions** participent au fonctionnement de l'UE : il s'agit de la Cour de justice des communautés européennes, de la Cour des comptes, du Comité économique et social des communautés européennes, du Comité des régions de l'UE, du système européen de banques centrales, de la Banque européenne d'investissement.

b. – Depuis les années 90, l'intégration européenne se renforce

Outre la mise en place du marché unique, les années 90 sont fertiles en événements qui vont dans le sens d'une intégration économique accrue.

Le traité de Maastricht, signé en 1992, instaure l'Union européenne (UE) en novembre 1993 et prévoit une union monétaire mais aussi une coopération politique et juridique plus intense.

En 1994, l'Espace économique européen associe l'UE et l'AELE (sauf la Suisse) dans une vaste zone de libre-échange dont la vocation est de devenir un véritable marché intégré.

En 1995, trois pays rejoignent l'Union européenne : la Suède, l'Autriche et la Finlande. La même année, l'« agenda 2000 » développe une stratégie de renforcement de l'Union. Il s'agit d'élargir l'UE, en particulier vers les PECO. Depuis mars 1998, des négociations d'adhésion sont entamées avec la Pologne, la Hongrie, la République tchèque, l'Estonie, la Slovénie et Chypre. Il en est de même, depuis février 2000, avec la Slovaquie, la Bulgarie, la Roumanie, la Lituanie, la Lettonie et Malte. Le principe de l'adhésion de la Turquie est également retenu mais les négociations commenceront ultérieurement.

Si l'élargissement peut favoriser la croissance de l'UE (économies d'échelle, meilleure allocation de l'épargne européenne au financement des investissements, etc.), il pose aussi de nombreux problèmes sur le plan institutionnel : ainsi, l'accueil de douze ou treize nouveaux membres nécessitera plusieurs réformes, concernant notamment la Commission et le processus de décision au sein du Conseil de l'UE. Ainsi, lors du sommet de Nice (décembre 2000), le Conseil européen a décidé de modifier le nombre de voix attribué aux pays membres pour tenir compte des nouvelles adhésions. De plus, le renforcement des aides destinées aux pays candidats va peser sur le budget européen dont le financement devra être reconsidéré.

En 1999, l'entrée en vigueur du traité d'Amsterdam, signé en 1997, renforce l'Union européenne. En février 2001, est signé le nouveau traité de l'UE élaboré, lors du sommet de Nice, dans la perspective de l'élargissement.

Intégrant les acquis du traité de Maastricht (1992), ces traités confortent la coopération des États membres de l'UE en matière de « politique étrangère et de sécurité commune » (PESC). Par ailleurs, la coopération entre les États membres devient plus intense en matière juridique et policière, notamment pour parachever la réglementation permettant la libre circulation des hommes au sein de l'Union. Par ailleurs, est institué le principe de « coopération renforcée » : celui-ci permet à une majorité d'États d'accentuer, au cours d'une période donnée, leur coopération dans certains domaines communautaires. Toutefois, la PESC est exclue du champ d'application de ce principe.

Ces traités contiennent également un « volet emploi » instituant, sans véritable force contraignante, une coopération des États membres en matière de politique de l'emploi afin de réduire le chômage au sein de l'UE.

De manière plus générale, ces traités semblent dégager de nouvelles perspectives pour une Europe sociale, c'est-à-dire une intégration sociale accrue au sein de l'UE (par exemple, en matière de droit des travailleurs et de réduction des inégalités). Le volet social n'est pas absent des traités européens : face à la pauvreté, au chômage, aux inégalités régionales et sociales, ont été créés des moyens d'intervention opérationnels. Ainsi, le Fonds social européen (FSE) existe depuis 1957 pour faciliter l'emploi et la mobilité des travailleurs au sein de la CEE, favoriser l'insertion des jeunes, lutter contre le chômage de longue durée... Le FEDER (créé en 1975) permet de prendre en compte la situation des régions les moins favorisées de l'Union. Sur un autre plan, en 1989, onze des douze membres de la CEE signent la charte des droits sociaux des travailleurs qui établit des lignes directrices à respecter en matière de droit du travail et de protection sociale. La Grande-Bretagne, alors non signataire, a agréé cette charte après l'arrivée au pouvoir de Tony Blair, en 1997. Le traité d'Amsterdam (1997) intègre un volet emploi, destiné à orienter les politiques nationales de lutte contre le chômage. En décembre 2000, outre le nouveau traité de l'UE, les chefs d'État et de gouvernement adoptent, lors du sommet de Nice, une charte des droits sociaux regroupant dans un même texte les droits des citoyens de l'UE. Enfin, l'effet positif, en matière de croissance, des politiques communautaires est aussi facteur d'amélioration sociale.

Cependant, l'impact global de ces mesures reste limité en regard des réalisations économiques des Européens : le manque de volonté politique des États, le libéralisme inspirant les choix de la Commission et le poids de la culture et de l'histoire propres à chacun des membres de l'Union qui fondent les systèmes de protection sociale expliquent ce que certains appellent le « déficit social de l'Europe ». De manière plus générale, tout approfondissement de l'intégration sociale relève du principe de subsidiarité (une règle limitant l'intervention communautaire aux domaines pour lesquels l'action des gouvernements nationaux serait moins efficiente) et dépend ainsi de la volonté politique des gouvernements nationaux.

Depuis les années 50, la constitution de zones d'échanges régionales ne paraît pas avoir nui à l'essor du multilatéralisme ; elle a favorisé l'internationalisation des économies nationales et a participé de ce fait à la mondialisation.

CHAPITRE 3

Le débat libre-échange/ protectionnisme est-il encore d'actualité ?

Jusqu'aux années 1940, selon la formule de l'historien et économiste Paul Bairoch, le protectionnisme est la règle et le libre-échange l'exception. En effet, le libre-échange n'est appliqué qu'à partir des années 1840 jusqu'aux années 1870 (la Grande-Bretagne reste libre-échangiste jusqu'au début des années 1930). En revanche, depuis la fin des années 1940, l'extension du libre-échange est une tendance nette.

1. – Les théories traditionnelles du commerce international fondent le débat libre-échange/protectionnisme

a. – Les analyses de Smith et de Ricardo constituent les fondements des thèses libre-échangistes

Au XVIIIe siècle, le courant libéral promeut le libre-échange en opposition aux idées mercantilistes qui privilégient le protectionnisme. Les physiocrates sont favorables à la libéralisation des échanges néanmoins, les fondements théoriques du libre-échange sont établis par l'école classique : Adam Smith (1723-1790) soutient, dans son ouvrage *Recherches sur la nature et les causes de la richesse des nations* (1776), que le libre-échange est facteur d'enrichissement pour les nations se livrant au commerce international. Chacune doit se spécialiser dans la production pour laquelle elle dispose d'un avantage absolu, c'est-à-dire un coût unitaire plus bas que dans les autres pays, en raison d'une productivité du travail élevée.

David Ricardo (1772-1823) approfondit cette analyse dans son ouvrage *Des principes de l'économie politique et de l'impôts* (1817) : il établit la loi des avantages comparatifs (ou relatifs), stipulant que les pays ne disposant pas d'un avantage absolu bénéficient du libre-échange dès lors qu'ils se spécialisent sur la production pour laquelle ils disposent du désavantage le plus faible en termes de coûts unitaires ou de niveau de productivité du travail, tandis que les autres pays optent pour la production bénéficiant de l'avantage absolu le plus élevé.

Alors que l'avantage absolu est fondé sur le niveau des coûts unitaires (l'avantage réside dans le fait d'obtenir les coûts unitaires les plus bas), l'avantage comparatif (ou relatif) désigne l'écart relatif de ces coûts entre pays (l'avantage comparatif repose sur les coûts unitaires relativement les plus bas ou les plus faiblement supérieurs par rapport à ceux des concurrents).

Par exemple, si en une heure de travail sont obtenus 5 mètres de tissu et 100 litres de vin en Grande-Bretagne et 10 mètres de tissu et 300 litres de vin au Portugal, dans les deux cas, le Portugal dispose d'un avantage absolu (la Grande-Bretagne n'en bénéficie d'aucun). Cet avantage est plus important sur le vin (3 fois) que sur le tissu (2 fois). Le Portugal dispose donc d'un avantage comparatif (ou relatif) sur le vin et la Grande-Bretagne enregistre son désavantage le plus faible sur le tissu. Si les Portugais exportent 300 litres de vin en Grande-Bretagne, ils pourront en échange obtenir 15 mètres de tissu alors qu'au Portugal 300 litres de vin s'échangent contre seulement 10 mètres de tissu. Si les Britanniques exportent 5 mètres de tissu au Portugal, ils se procureront 150 litres de vin alors qu'en Grande-Bretagne ces 5 mètres s'échangent contre 100 litres de vin. Ainsi, les deux pays ont intérêt à opter pour le libre-échange en se spécialisant, la Grande-Bretagne en matière de textile et le Portugal en matière de vin.

Le libre-échange permet à chaque pays d'avoir accès à plus de produits : ainsi, le revenu réel mondial s'accroît.

Au XXe siècle, les thèses de Smith et de Ricardo connaissent d'importants développements.

L'analyse ricardienne est reprise en 1919 par Eli Heckscher (1879-1952) et, en 1933, par Bertil Ohlin (1899-1979), prix Nobel d'économie en 1977.

Heckscher et Ohlin fondent la spécialisation des pays sur leur dotation factorielle : les pays ont intérêt à se spécialiser dans les productions mobilisant les facteurs de production qu'ils possèdent en abondance et à importer les produits incorporant les facteurs de production qui leur font défaut. Par exemple, le Brésil disposant de vastes étendues de terres devrait exporter des produits agricoles et importer des biens d'équipement. En revanche, la Grande-Bretagne disposant de peu de terres mais de beaucoup de capital exportera des produits industriels en échange de produits agricoles.

Après le second conflit mondial, plusieurs auteurs complètent les thèses d'Heckscher et d'Ohlin, pour justifier le libre-échange. C'est le cas, en 1948, de Paul Samuelson (né en 1915, prix Nobel d'économie en 1970).

Samuelson établit, en 1948, les fondements du théorème d'Heckscher-Ohlin-Samuelson (théorème HOS), c'est-à-dire un ensemble de propositions logiques destinées à démontrer que l'extension des échanges et l'adoption du libre-échange induisent la convergence mondiale de la rémunération des facteurs de production. En effet, conformément aux principes énoncés par Heckscher et Ohlin, certains pays se spécialisent dans des productions nécessitant l'emploi d'une main-d'œuvre abondante, d'autres dans des productions à forte intensité capitalistique. Dans le premier cas de figure, la hausse de la production conduit à un accroissement de la demande de travail et donc des salaires tandis que les importations à fort contenu de capital réduisent la rareté de ce facteur, dont le prix relatif chute. Symétriquement, dans les pays exportant des produits à fort contenu de capital, le prix relatif de ce facteur s'accroît et celui du travail diminue. Ainsi, les prix des facteurs tendent à converger.

Au début des années 50, testant la pertinence des thèses d'Heckscher et d'Ohlin sur l'économie américaine, Wassily Leontief (1906-1999), prix Nobel d'économie en 1973, infirme l'analyse d'Eli Heckscher et de Bertil Ohlin. En effet, il révèle un paradoxe : le contenu en facteur travail des exportations américaines est plus élevé que ne le laissait supposer le niveau de l'accumulation du capital aux États-Unis. Ce paradoxe paraît résolu dès lors que la productivité du travail est prise en compte.

Si, par exemple, la productivité du travailleur américain vaut 3 fois celle d'un travailleur dans un autre pays, la dotation en facteur travail des États-Unis est bien plus élevée qu'il n'y paraît (ici, 3 fois plus élevée que la dotation apparente).

b. – Le libre-échange est critiqué par certains auteurs

Les thèses d'inspiration marxiste critiquent le libre-échange. Karl Marx (1818-1883) voit dans le commerce international un facteur d'inégalité entre nations : le libre-échange est le moyen par lequel les firmes des pays capitalistes dominants enrayent la chute de leur taux de profit en élargissant leurs débouchés et en se procurant des produits primaires peu coûteux. La spécialisation des pays dominés est par ailleurs imposée par les pays dominants en fonction des intérêts des capitalistes. Cette analyse a été reprise à la fin des années 60 par Arghiri Emmanuel (1911-2001). Celui-ci applique aux échanges entre pays pauvres et pays riches la théorie de l'exploitation de Marx. Le commerce international régi par les principes libre-échangistes est néfaste aux pays en développement : les exportations des pays capitalistes à destination des pays en développement incorporent moins d'heures de travail que les importations en provenance de ces pays. Ce transfert de valeur se traduit par un surprofit pour les firmes des pays avancés qui est en partie distribué à leurs salariés sous forme de hauts salaires relativement à ceux des pays en développement.

La plupart des théoriciens de l'impérialisme, prolongeant les thèses marxistes, développent une analyse critique de l'évolution du capitalisme et du commerce international. Par exemple, pour Lénine (1870-1924), l'impérialisme est le stade ultime du développement du capitalisme qui se caractérise par la concentration du capital et de la production, la fusion du capital bancaire et du capital industriel, l'exportation des capitaux, la formation de firmes multinationales et le partage du globe par les grandes puissances dont la domination bloque le développement des pays dominés.

Ces différentes approches confèrent au libre-échange un statut d'instrument de domination des pays développés sur les pays pauvres. Le commerce international ne peut alors être bénéfique à tous les participants aux échanges. Le protectionnisme, en revanche, peut permettre aux nations dominées, désormais protégées de la concurrence des firmes des pays avancés, d'enclencher un processus de développement fondé sur l'essor d'une industrie nationale.

Le protectionnisme est par ailleurs légitimé par des auteurs ne s'inscrivant pas dans la perspective marxiste.

Aux XVIe et XVIIe siècles, le courant mercantiliste ne constitue pas une doctrine homogène : plusieurs écoles peuvent en effet être distinguées :

– le mercantilisme espagnol ou « bullionisme » repose sur le principe d'œuvrer pour l'enrichissement du souverain et du pays grâce à l'accumulation d'or et d'argent qu'il convient de favoriser ;

– pour les mercantilistes français, l'industrie et le commerce sont des facteurs d'enrichissement ;

– le mercantilisme anglais privilégie le commerce, source d'accroissement des richesses nationales.

Au-delà des spécificités de chacune de ces trois approches, les thèses mercantilistes convergent plus ou moins vers les deux points suivants :

– les intérêts des marchands rejoignent ceux du souverain : l'enrichissement des premiers contribue à celui du roi. L'impôt permet en effet l'accumulation d'or et d'argent dans les caisses du monarque ;

– l'État doit intervenir dans l'économie : il doit être protectionniste pour freiner les importations (sauf celles qu'exige la production nationale), mais aussi pour susciter le développement d'industries nationales ; l'État doit également limiter les exportations des matières premières nécessaires à la production nationale,encourager la colonisation...

Vers le milieu du XIXe siècle, l'Allemand Fredrich List (1789-1846) perçoit le protectionnisme comme le moyen de stimuler l'industrialisation des nations. Il promeut un protectionnisme éducateur, c'est-à-dire un ensemble de mesures destinées à protéger le marché intérieur et à permettre l'essor d'entreprises « dans l'enfance » qui, à l'abri des barrières douanières, disposent du temps d'apprentissage nécessaire pour accéder au niveau de compétitivité des pays plus avancés. Dès lors que ce niveau est atteint, les barrières douanières doivent être abolies et le libre-échange instauré.

2. – Les nouvelles théories du commerce international perpétuent le débat libre-échange/protectionnisme

a. – Les théories contemporaines du commerce international dénoncent l'irréalisme des théories traditionnelles issues des approches de Smith et de Ricardo

Les thèses des auteurs classiques et néoclassiques induisent une conception des échanges internationaux fondée sur un commerce interbranche qui désigne les échanges commerciaux internationaux qui porte sur des produits issus de branches différentes (par exemple, un pays exporte des automobiles et importe des matières premières). Or la plus grande part des échanges mondiaux de biens et de services est un commerce intrabranche, à savoir des importations et des exportations concernant des produits similaires issus des mêmes branches (par exemple, les automobiles apparaissent à la fois dans les exportations et les importations d'un pays pour des montants significatifs).

Le commerce intrabranche peut concerner des produits similaires de même niveau de gamme mais différenciés horizontalement ou des produits similaires de gammes différentes (voir chapitre 1). Une conception plus large du commerce intrabranche pourrait permettre d'inclure dans ce type d'échanges ceux qui se rapportent à des produits relevant de stades différents du processus productif : par exemple, des boîtes de vitesses fabriquées en Espagne sont exportées en France pour équiper des véhicules Renault qui seront vendus en Espagne. Cette configuration résulte de la stratégie de multinationalisation des firmes. En outre, les firmes multinationales développent une forme de commerce dont les modalités échappent aux principes libéraux qui fondent le libre-échange : le commerce captif ou commerce intrafirme, c'est-à-dire les échanges de biens et de services au sein d'un groupe multinational entre les différentes unités de production qui le composent, est régi par des impératifs fixés par la direction du groupe.

b. – Les nouvelles théories du commerce international adoptent l'hypothèse de rendements d'échelle croissants

L'hypothèse des rendements d'échelle croissants est plus réaliste que celle des rendements d'échelle constants ou décroissants sur laquelle reposent les théories traditionnelles justifiant le libre-échange.

Les rendements d'échelle sont croissants lorsque la production augmente davantage que la quantité de facteurs intervenant dans la combinaison productive, ce qui induit des économies d'échelle : les coûts unitaires de production diminuent. Par exemple, la production triple lorsque la quantité de travail et de capital double. Les rendements d'échelle sont constants lorsque la production augmente dans la même proportion que les facteurs de production mobilisés : les coûts unitaires sont alors stables. Les rendements d'échelle sont décroissants lorsque la production s'accroît moins que la quantité de facteurs, ce qui induit des déséconomies d'échelle : les coûts unitaires augmentent.

L'hypothèse des rendements d'échelle croissants permet de prendre en compte l'imperfection de la concurrence : en augmentant leur production, les entreprises présentes sur le marché d'un produit interdisent l'arrivée de tout concurrent nouveau du fait de la baisse des coûts unitaires renforçant leur compétitivité. Chaque pays se spécialise alors dans les productions pour lesquelles les rendements croissants sont les plus intenses et délaisse les autres : les marchés sont des oligopoles où s'affrontent de grandes firmes peu nombreuses auxquelles le commerce international offre l'opportunité d'accroître leur production et donc de diminuer leurs coûts unitaires pour accroître leur profit. Dans ce cas, les grandes firmes différencient leurs produits notamment par l'image de marque. L'économiste Bernard Lassudrie-Duchêne y voit une manière de répondre à une « demande de différence » des consommateurs.

Pour le Suédois Steffen Linder, l'existence d'un important marché intérieur induit une demande de biens ou d'une variété de produits dont le volume et la structure sont liés au niveau de vie (« demande représentative »). Les firmes répondent à cette demande en bénéficiant d'économies d'échelle en raison des rendements d'échelle croissants qui élèvent leur compétitivité et dopent leurs exportations vers les pays à structure de demande proche, d'où des échanges intrabranches. Toutefois, les producteurs vont chercher à différencier leurs produits : dans ce cas, la différenciation n'est pas le fait d'une « demande de différence » des consommateurs mais du comportement des producteurs.

c. – Les nouvelles théories du commerce international laissent ouvert le débat libre-échange/protectionnisme

Les nouvelles théories du commerce international font apparaître les avantages comparatifs comme le résultat et non la cause des échanges internationaux de biens et de services : la croissance des échanges provoque un accroissement de la production qui réduit les coûts unitaires, conférant un avantage de compétitivité aux firmes en bénéficiant. Ce cas de figure n'interdit donc pas (ni ne l'impose) une intervention de l'État destinée à permettre aux firmes de bénéficier d'un environnement favorable (par exemple, en finançant des infrastructures routières et ferroviaires...). Cet aspect a été particulièrement étudié au cours des années 80 par les théoriciens de la croissance endogène.

Les pouvoirs publics peuvent également opter pour une politique protectionniste dans un ou des secteurs donnés, notamment pour des raisons stratégiques. Ainsi, au début des années 80, le Canadien James Brander et l'Australienne Barbara Spencer justifient sur le plan théorique les subventions des États européens au projet Airbus destinées à doter la Communauté européenne d'une industrie aéronautique capable de concurrencer la firme Boeing. Cette approche est à l'origine du concept de politique commerciale stratégique qui correspond à un ensemble de mesures mises en œuvre par les États (ou une coalition d'États) pour développer des activités jugées stratégiques (aéronautique, électronique...) de façon à réduire toute dépendance à l'égard de l'extérieur. La distribution de subventions et les commandes publiques en faveur des entreprises intervenant dans les secteurs jugés stratégiques, la protection du marché intérieur, sont les outils de cette politique commerciale.

Cette approche a été popularisée et critiquée, au cours des années 80, par l'Américain Paul Krugman. Pour cet auteur, les politiques commerciales stratégiques d'inspiration protectionniste présentent plusieurs inconvénients. D'une part, elles risquent de déclencher des conflits commerciaux majeurs entre les pays ; d'autre part, l'intervention de l'État perturbe l'allocation de ressources : ainsi, celles qui sont consacrées au développement des secteurs stratégiques feront défaut aux autres secteurs et doperont artificiellement l'essor de certaines entreprises (par exemple, les fournisseurs des industries stratégiques). Toutefois, Krugman reconnaît que le libre-échange n'offre pas tous les avantages que décrivent les théories traditionnelles. Il n'en est pas moins vrai que les politiques commerciales libre-échangistes présentent moins d'inconvénients que les politiques protectionnistes : le libre-échange est un *second best*, c'est-à-dire une situation qui n'est pas optimale mais la meilleure possible compte tenu du contexte. Ainsi, pour Krugman, le libre-échange est la moins mauvaise des politiques commerciales, il offre des opportunités plus favorables que le protectionnisme.

La prise en compte des rendements d'échelle permet de comprendre que des nations d'égal niveau de développement puissent produire et échanger des biens similaires mais différenciés (par exemple, des automobiles allemandes contre des automobiles françaises). Il est alors possible que l'État protège des firmes disposant d'un monopole national, comme l'illustrent les projets Airbus et Ariane au niveau européen.

Mais une politique libre-échangiste n'est pas pour autant exclue : ainsi, au cours des années 80, l'Américain William Baumol a soutenu qu'une telle configuration peut rester concurrentielle dès lors que les marchés sont contestables, c'est-à-dire ouverts à l'arrivée de tout concurrent potentiel ou de produits importés. Le libre-échange est dans ce cas le garant de la contestabilité des marchés : une firme bénéficiant d'une situation de monopole sur son marché national se comportera comme si elle devait affronter des concurrents.

Par conséquent ces nouvelles approches du commerce international ne promeuvent pas exclusivement le libre-échange mais ne le prohibent pas non plus. Elles permettent d'envisager des politiques commerciales plus pragmatiques, tenant compte des circonstances, des choix collectifs... Cette perspective autorise des politiques commerciales mixtes associant un protectionnisme sectoriel et une tendance libre-échangiste ou promouvant la constitution de zones régionales d'échanges disposant éventuellement d'un tarif douanier commun (voir chapitre 2).

3. – Le débat libre-échange/protectionnisme a tourné à l'avantage des partisans du libre-échange

a. – Depuis la fin des années 40, l'essor du libre-échange est patent mais les pratiques protectionnistes ne disparaissent pas

Au sein des pays développés, l'épisode des Trente Glorieuses est associé à l'extension du libre-échange. La réduction des barrières douanières est nette. Les droits de douane moyens dans les pays industrialisés passent de 40 % en 1950 à un peu plus de 10 % au cours des années 70 ; les obstacles non tarifaires reculent.

Depuis les années 70, les tentations protectionnistes s'accentuent au sein des pays développés du fait du ralentissement de la croissance économique et de la concurrence plus vive sur les marchés mondiaux liée au dynamisme des pays émergents. La progression du libre-échange est alors freinée mais pas interrompue :

– Des barrières tarifaires sont appliquées. Outre certains « pics tarifaires » sur des produits jugés sensibles, des droits compensatoires antidumping ou des taxation appliquées à titre de représailles ne sont pas rares. Néanmoins, tendanciellement, les droits de douane moyens ont considérablement diminué depuis 1947 (voir *infra*).

– Des barrières non tarifaires subsistent (normes techniques ou environnementales, contingentements). Mais le recours à de telles mesures a été limité du fait des négociations multilatérales engagées depuis 1947 (voir *infra*) ; en outre, par souci de transparence, des obstacles non tarifaires ont été convertis en barrières tarifaires qui progressivement diminuent.

– D'autres pratiques peuvent être assimilées à des mesures de protection : c'est le cas des dépréciations monétaires. Par exemple, plusieurs responsables politiques américains se sont récemment interrogés sur la dépréciation de l'euro depuis 1999 qui confère aux produits européens un avantage de compétitivité sur les produits américains, comme l'auraient fait l'imposition de droits de douane ou l'octroi de subventions...

Dans les autres pays, la promotion du libre-échange est avérée depuis les années 80.

– Jusqu'aux années 70-80, un grand nombre de pays en développement (Brésil, Argentine, Inde, Algérie, Chine...) ont mis en œuvre des stratégies de développement autocentrés, privilégiant l'essor de leur marché intérieur par rapport à une participation aux échanges mondiaux ; d'autres pays en développement (PED) ont adopté des politiques d'industrialisation fondées sur la protection des industries naissantes, tout en s'ouvrant néanmoins au commerce international (Corée du Sud, Taiwan...).

Toutefois, au cours des années 80, le constat d'échec des stratégies autocentrées et la pression des grandes institutions internationales ont conduit de nombreux PED à mettre en œuvre des stratégies d'insertion dans les échanges mondiaux d'inspiration libre-échangiste.

– Jusqu'aux années 90, les pays socialistes d'Europe de l'Est et l'URSS récusaient le libre-échange. Depuis qu'ils entament une phase de transition vers le capitalisme, ils ont tendance à opter pour le libre-échange. Cependant, l'accumulation de déficits externes a conduit les pouvoirs publics à prévoir des clauses de sauvegarde et des relèvements des droits de douane à titre temporaire. Ces pratiques ne remettent pourtant pas en cause leur ouverture sur l'extérieur, notamment en direction de l'Union européenne à laquelle adhéreront plusieurs pays d'Europe de l'Est.

b. – L'essor du commerce international de biens et de services n'est pas indépendant du contexte institutionnel dans lequel il intervient

Le traité signé en 1947 par 23 pays est destinée à promouvoir le libre-échange et le multilatéralisme.

La mise en œuvre des mesures de libéralisation du commerce international promues par le GATT fait l'objet de négociations commerciales multilatérales, ou rounds : il s'agit de réunions regroupant les responsables politiques des pays signataires en vue de décider de mesures concrètes favorisant l'essor du commerce international, de compléter l'accord initial et de consolider les acquis en matière de libéralisation des échanges commerciaux. De 1947 à 1993, 8 rounds sont parvenus à réduire les barrières douanières. Selon Krugman, le GATT constitue une forme de « mercantilisme éclairé » : il permet de prendre en compte les intérêts divergents des pays (chacun souhaitant exporter plus et importer moins) ; la négociation multilatérale débouche alors sur des compromis qui font progresser tendanciellement le libre-échange.

Le multilatéralisme promu par le GATT commande l'application de la clause de la nation la plus favorisée, un principe selon lequel chaque pays s'engage à accorder à tout autre pays signataire de l'accord les avantages commerciaux (par exemple, la réduction des tarifs douaniers) qu'il concéderait à l'un d'entre eux. En outre, l'accord prévoit qu'aucun pays ne peut favoriser ses producteurs par l'octroi de subventions à l'exportation ou l'érection de barrières douanières discriminantes, quelle que soit leur forme. Le GATT prohibe le dumping, c'est-à-dire une pratique commerciale consistant à vendre un produit à un prix inférieur à son coût de production. Toutefois, certaines pratiques pouvant être assimilées au dumping persistent : par exemple, le dumping monétaire est une pratique des autorités monétaires de certains pays, consistant à prendre des mesures destinées à provoquer une sous-évaluation systématique du taux de change de la monnaie nationale pour doper la compétitivité des firmes installées sur leur territoire ; le dumping social correspond à une pratique des pouvoirs publics de certains pays qui perpétuent un faible niveau de protection sociale pour réduire les charges des entreprises et donc diminuer leurs coûts ; le dumping social recouvre également les pratiques des employeurs et des États destinées à maintenir les salaires à de bas niveaux pour préserver la compétitivité prix des firmes.

Certaines exceptions aux principes généraux énoncés précédemment sont cependant prévues par le GATT. Ainsi, jusqu'en 1993, les services sont exclus des négociations multilatérales ; les produits agricoles ne sont pas expressément exclus mais n'ont pas fait l'objet de négociations jusqu'à la fin des années 80. Le recours à un protectionnisme temporaire est envisageable pour pallier des difficultés passagères. La clause de la nation la plus favorisée peut ne pas être appliquée : par exemple, la CNUCED (voir chapitre 1) a œuvré pour que les PED puissent accorder des avantages tarifaires à d'autres PED sans les accorder aux pays développés ; en outre, le système généralisé de préférence (SGP) est un accord international, promu par la CNUCED et agréé dans le cadre du GATT ; cet accord, signé en 1968 mais appliqué à partir de 1971, autorise la baisse des droits de douane sur les importations des pays développés en provenance des PED, sans réciprocité et sans que soient réduits les droits appliqués aux importations en provenance d'autres pays développés.

Enfin, le GATT admet la constitution de zones d'échanges privilégiés entre pays. Il s'agit d'une entorse à la clause de la nation la plus favorisée puisque les membres de la zone d'échanges réduisent les obstacles douaniers au sein de la zone sans en faire bénéficier les pays signataires du GATT hors zone. Cependant, les termes du GATT stipulent que la constitution de telles zones ne doit pas se traduire par un renforcement des obstacles douaniers à l'égard des pays tiers.

En avril 1994, la conférence de Marrakech officialise les conclusions de l'*Uruguay Round*, qui désigne le 8e cycle de négociations depuis 1947, dans le cadre du GATT ; entamé en 1986 à Punta del Este, en Uruguay, ce cycle de négociations s'achève à Genève en décembre 1993. La conférence de Marrakech confirme la tendance à la libéralisation des échanges de biens et de services, enregistrée depuis 1947. Une nouvelle baisse des tarifs douaniers est décidée. En outre, les mesures de limitation quantitative des importations sont supprimées. Les échanges de produits agricoles font également l'objet de mesures de libéralisation progressives. De plus, la conférence de Marrakech institue l'Accord général sur le commerce des services (AGCS), en anglais *General Agreement on Trade in Services* (GATS), qui désigne un cadre juridique étendant le champ d'application des mesures de libéralisation aux échanges internationaux de services. Dans ce cadre, il est également prévu de mieux protéger les droits de propriété intellectuelle.

Par ailleurs, la conférence de Marrakech institue l'OMC, une nouvelle institution internationale comptant 144 membres en décembre 2001, chargée de la gestion de l'accord issu de l'*Uruguay Round* et du règlement des conflits commerciaux entre pays.

Techniquement, une conférence ministérielle (composée des responsables politiques de tous les pays membres) se réunit au moins tous les deux ans et se substitue aux rounds. Elle constitue un organe de décision. Depuis 1995, 4 conférences ont été réunies (à Singapour en 1996, à Genève en 1998, à Seattle en 1999, à Doha en 2001).

Un Conseil général, composé de représentants des pays membres, se réunit si nécessaire, en fonction des problèmes à traiter. Ce conseil est chargé de gérer l'organisation et d'appliquer les décisions de la conférence ministérielle. Il constitue également l'Organe de règlement des différends (ORD), qui statue sur les conflits commerciaux entre pays membres. Dans tous les cas, les décisions sont prises sur la base d'une voix par État membre.

Le débat libre-échange/protectionnisme a tourné à l'avantage des libre-échangistes. Pourtant, ce débat n'a pas perdu tout intérêt, d'autant plus que ces deux politiques commerciales sont conciliables : d'une part, la progression tendancielle du libre-échange n'exclut pas l'application temporaires de mesures protectionnistes au cours de phases difficiles ; d'autre part, des politiques commerciales mixtes peuvent prévoir des mesures de protection destinées à favoriser l'essor de certains secteurs ou leur restructuration, et des mesures de libéralisation des échanges extérieurs pour d'autres secteurs. Par exemple, l'Union européenne constitue une zone au sein de laquelle s'appliquent les règles du libre-échange et disposant à l'égard des pays tiers d'une politique commerciale commune, en particulier d'un tarif extérieur commun.

CHAPITRE 4

La mondialisation peut-elle nuire aux pays développés ?

L'insertion des pays développés dans l'économie mondiale ouvre à ces pays des opportunités de croissance indéniables ; il en est notamment ainsi depuis la fin des années 40.

1. – L'insertion des pays développés dans le commerce mondial leur a généralement été bénéfique mais comporte des risques

a. – L'essor du commerce international a favorisé la croissance des pays développés

Les exportations constituent une partie de la demande globale : l'accroissement du taux d'exportation soutient donc la croissance et l'emploi. L'essor des exportations dope la production et, de ce fait, induit des économies d'échelle (réduction des coûts unitaires), accroissant la compétitivité des firmes et donc leur activité.

Les importations sont également facteur de croissance : elles sont nécessaires à la production (matières premières, produits semi-finis, machines) ; elles contribuent à la diffusion du progrès technique ; elles constituent des exportations pour les pays fournisseurs dont la croissance est alors stimulée : dès lors, leurs propres importations s'accroissent, soutenant la croissance des autres pays.

L'extension du libre-échange depuis la fin de années 40 favorise les échanges et ainsi participe à la croissance, comme le soutenaient les auteurs classiques et néoclassiques (voir chapitre 3). Néanmoins, la croissance du commerce international peut se manifester dans un contexte protectionniste, comme c'était le cas au début du XXe siècle.

b. – Cependant, les pays développés peuvent connaître des difficultés du fait de leur insertion dans le commerce international

L'accroissement de la concurrence implique des restructurations, des faillites d'entreprises, la mobilité intersectorielle de la main-d'œuvre, le déclin de certaines régions... La nécessité de préserver la compétitivité-prix peut conduire les firmes à comprimer les salaires et l'emploi... L'extension du libre-échange provoque les mêmes effets. C'est pour cela que certains auteurs, y compris libéraux, préconisent l'adoption d'un protectionnisme modéré : ainsi, le libéral Maurice Allais, prix Nobel d'économie en 1988, recommande de préserver la préférence communautaire au sein de l'Union européenne pour contrer les effets négatifs sur l'emploi de la concurrence des pays à bas salaires. Pour Allais, la libéralisation des échanges n'est concevable qu'au sein de blocs régionaux réunissant des pays de niveau de développement comparable (*la Mondialisation, la destruction des emplois et la croissance*, éditions C. Juglar, 1999).

Par ailleurs, le renforcement de l'interdépendance entre les pays conduit certains d'entre eux à subir une contrainte extérieure, limitant le pouvoir d'intervention des pouvoirs publics en raison des mauvaises conditions d'insertion dans les échanges internationaux de biens et de services (et de capitaux) : l'État ne peut plus alors mettre en œuvre les politiques économiques et sociales de son choix. La contrainte extérieure à laquelle est confronté un pays est d'autant plus forte que son taux d'ouverture est élevé, que sa dépendance à l'égard de l'extérieur est grande pour son approvisionnement en produits primaires (voire semi-finis) et que la compétitivité des firmes installées sur son territoire est faible.

Par conséquent, l'État pourrait être amené à pratiquer des politiques de modération de la croissance contre son gré. Ce fut, par exemple, le cas à la suite de la politique de relance budgétaire mise en œuvre en France en 1981 par le nouveau gouvernement de gauche, dont l'objectif était de faire reculer le chômage. La relance est intervenue à un moment où les firmes françaises souffraient d'un handicap de compétitivité-prix (du fait d'une forte inflation par les coûts) et hors prix (les produits français étaient inadaptés à la demande mondiale en raison d'une mauvaise spécialisation de l'appareil productif). De plus, les principaux partenaires de la France pratiquaient à cette époque des politiques de freinage de la demande qui impliquaient un ralentissement de leurs importations et donc des exportations françaises. Le déficit courant s'est accru malgré la dévaluation du franc en octobre 1981. En juin 1982, et plus nettement en mars 1983, l'État a mis en œuvre des politiques conjoncturelles de rigueur destinées à éradiquer l'inflation et à réduire les importations en freinant la croissance.

2. – Les effets de l'insertion des pays développés dans les flux internationaux de capitaux semblent plutôt positifs pour ces pays

a. – La croissance des flux d'investissements à l'étranger des firmes des pays développés suscite des craintes souvent excessives

Les investissements à l'étranger des firmes multinationales alimentent les sorties de capitaux au risque de déstabiliser la balance des paiements des pays développés. Ceux-ci pourraient devoir relever leurs taux d'intérêt pour attirer les capitaux financiers ou pour freiner la demande afin de ralentir les importations ; il en résulterait la montée du chômage. En outre, ces investissements à l'étranger sont destinés à accroître la production à l'extérieur du territoire national des firmes des pays développés. Les exportations pourraient alors diminuer ou ralentir : la croissance de ces pays serait donc freinée.

Mais l'essor des investissements à l'étranger des firmes des pays développés leur permet de diminuer leurs coûts et/ou de conquérir de nouveaux marchés, ce qui accroît leurs profits et les incite à développer de nouvelles activités, y compris dans le pays d'origine. En outre, ces investissements créent des courants d'échanges : par exemple, les exportations destinées à alimenter les filiales et celles induites par un effet d'image de marque à l'étranger soutiennent la croissance. Par ailleurs, plus de 80 % des investissements à l'étranger des firmes multinationales sont actuellement orientés vers les pays développés. L'implantation d'unités de production dans ces pays favorise leur croissance, contribue à diffuser le progrès technique et constitue une entrée de capitaux permettant de répondre au besoin de financement consécutif à un déficit de la balance courante.

b. – L'essor des investissements à l'étranger des firmes des pays développés alimente le processus de délocalisation dont les effets négatifs restent limités

La délocalisation est une stratégie d'entreprises consistant à fermer une ou plusieurs unités de production dans un pays donné et à implanter une ou des unités de production équivalentes dans un ou plusieurs autres pays pour bénéficier de conditions de production jugées plus favorables (coûts de la main-d'œuvre, exonérations fiscales notamment au sein de zones franches...).

Les effets des délocalisations suscitent des craintes

Les entreprises délocalisent pour acquérir un avantage de compétitivité. Dès lors, à la perte d'emplois attachée à la délocalisation s'ajoute celle consécutive à la réaction des firmes nationales concurrentes. Si Renault accroît sa compétitivité en délocalisant, Peugeot fera de même. La chute de l'emploi déprime la demande intérieure d'autant plus que la montée du chômage pèse sur les salaires ; en outre, la délocalisation agit comme une menace à l'encontre des salariés invités à modérer leurs revendication salariales. L'atonie de la demande interne nourrit le processus de délocalisation qui permet aux firmes de doper leur compétitivité-prix.

La délocalisation induit la montée du chômage, notamment des travailleurs les moins qualifiés mis en concurrence avec les salariés des pays en développement. En revanche, les gagnants de la mondialisation (ingénieurs, cadres de gestion, avocats, journalistes, chercheurs...) développent des stratégies individualistes en termes de carrière et de mode de vie. Par conséquent, les délocalisations et plus généralement la mondialisation accentuent les inégalités sociales au sein des pays développés et mettent aussi en danger leur cohésion sociale.

Ces craintes doivent être nuancées

Les firmes délocalisatrices bénéficient d'un accroissement de leur rentabilité qui leur permet de financer des activités nouvelles et d'embaucher. D'ailleurs, les études empiriques cherchant à vérifier les conséquences macroéconomiques des délocalisations sur l'emploi dans les pays développés ne confirment pas la vision pessimiste précédemment décrite. En revanche, sur le plan microéconomique, l'impact des délocalisations peut être négatif : la fermeture d'une usine de fabrication de chaussures ou textile dans une ville de 30 000 habitants peut en effet avoir des effets désastreux.

L'impact macroéconomique des délocalisations sur le chômage au sein des pays développés étant limité, l'exclusion sociale ne peut pas leur être totalement imputée. Le chômage des travailleurs non qualifiés peut résulter en effet des rigidités du marché du travail (analyse libérale), du progrès technique (mais celui-ci pourrait aussi être impulsé par la mondialisation), du faible dynamisme de la demande (analyse keynésienne).

Par ailleurs, les pays d'accueil des investissements des firmes multinationales bénéficient de l'implantation de filiales qui dopent leur croissance et, en retour, celle des pays d'origine. Ainsi, des firmes textiles françaises ont été délocalisées au Maroc ; les exportations de textile contribuent à la croissance du revenu national marocain, générant davantage d'importations de produits français ; en outre, les filiales délocalisées peuvent importer des biens d'équipement et des biens intermédiaires de leur maison mère, induisant des créations d'emplois dans le pays d'origine.

c. – La globalisation financière est également source d'inquiétudes

La globalisation financière participe à l'allocation optimale des ressources au niveau mondial. La désintermédiation, la déréglementation et le décloisonnement des marchés monétaires et financiers, améliorent l'ajustement mondial entre épargne et investissement. Mais l'essor d'un marché monétaire et financier mondial est également générateur de difficultés.

Comme les investissements à l'étranger, les flux financiers sortant des pays développés peuvent déstabiliser leurs balances des paiements. En outre, la globalisation financière contribue à l'émergence de bulles spéculatives dont l'éclatement peut ouvrir une période de crise grave comme au Japon au cours des années 90.

La globalisation financière est aussi source d'inégalités dans la mesure où les revenus du capital croissent plus vite que ceux du travail. Cette évolution alimente les débats sur la justice sociale : par exemple, pour l'Américain John Rawls, l'accroissement des inégalités est juste dès lors que l'égalité des chances et le respect des droits fondamentaux sont assurés, et que le sort des plus démunis s'améliore. En revanche, pour Amartya Sen (prix Nobel d'économie en 1998), l'amélioration du sort des plus démunis peut ne pas être suffisant pour qu'ils puissent saisir les opportunités de vivre dignement dans leur société. Des auteurs libéraux considèrent que les inégalités (et leur augmentation) sont justes si elles traduisent une différence de compétences ; d'autres auteurs pensent que la justice repose sur une réduction des inégalités.

Par ailleurs, l'accroissement des inégalités peut être source de dysfonctionnements économiques majeurs, comme le dénonçait déjà John Maynard Keynes (1883-1946) au cours des années 30 : par exemple, l'accroissement des inégalités, par l'insécurité qu'elles génèrent, peut conduire l'ensemble des ménages à accroître leur épargne de précaution, ce dont pâtira la demande. Les chefs d'entreprise se verraient ainsi tenus de réviser leurs projets de production à la baisse, d'où une réduction de l'emploi et une montée du chômage qui accentuera les inégalités. Le freinage, voire la baisse, de la consommation enclenchera un ralentissement ou une baisse plus importante encore de l'investissement.

3. – Les effets de l'immigration semblent plutôt favorables aux pays développés, malgré les craintes qu'elle suscite

a. – L'immigration est source d'avantages pour les pays d'accueil

Les immigrés représentent un apport démographique important en cas de vieillissement de la population ; en particulier, ils contribuent au financement des retraites (plus généralement, ils participent au financement de la protection sociale). C'est d'ailleurs pourquoi un rapport récent de l'ONU (2000) prévoit que les pays occidentaux devront recourir à une très forte immigration dans les années à venir.

Ils constituent également une main-d'œuvre généralement flexible et donc plus adaptable que la main-d'œuvre nationale, ce qui, dans le cadre d'une conception libérale, favorise la croissance ; les hausses de salaires sont contenues puisque l'offre de travail augmente et qu'à travail égal les immigrés sont souvent moins payés que les autochtones ; les profits s'accroissent et par conséquent l'investissement est stimulé. C'est aussi pourquoi l'immigration freine les délocalisations. De plus, en favorisant l'accroissement de l'offre et la compression des coûts de production, les immigrés permettent de contenir les pressions inflationnistes.

Par ailleurs, le *brain drain* (« drainage des cerveaux »), dont bénéficient particulièrement les États-Unis, élève le stock de capital humain des pays d'accueil du fait de l'arrivée d'une main-d'œuvre qualifiée ; la croissance en bénéficie.

b. – L'immigration suscite des craintes dont les fondements doivent être discutés

Comme l'immigration procure en général aux employeurs une main-d'œuvre moins coûteuse et plus flexible que la main-d'œuvre nationale (c'est notamment le cas des immigrés provenant des pays en développement), les efforts de modernisation des firmes peuvent être suspendus, la rentabilité des technologies traditionnelles étant préservée. À terme, la compétitivité des firmes pourrait diminuer, induisant des déséquilibres externes. Mais ce raisonnement repose sur une hypothèse discutable : pour un même niveau de production, les chefs d'entreprise pourraient avoir le choix entre plusieurs combinaisons productives dont ils ont une parfaite connaissance.

Les déséquilibres externes peuvent être renforcés par les envois de fonds à l'étranger des travailleurs migrants. Toutefois, ces transferts ne représentent généralement qu'une part modeste de l'ensemble des flux enregistrés par la balance des paiements des pays développés. De plus, ces transferts financent des achats de produits, fréquemment importés des pays d'accueil.

L'immigration pourrait nuire à l'emploi des travailleurs les moins qualifiés des pays d'accueil. Cet impact négatif est cependant limité : en effet, les immigrés occupent des emplois généralement rejetés par les autochtones ; ils sont, en outre, davantage victimes du chômage : ils constituent, de ce fait, un amortisseur de crise au bénéfice des nationaux.

La présence d'immigrés pourrait s'avérer coûteuse pour les comptes sociaux puisque cette main-d'œuvre est davantage touchée par le chômage ou les accidents du travail et bénéficie d'allocations familiales proportionnelles au nombre d'enfants, plus élevé que la moyenne nationale. Cependant, les statistiques disponibles tendent à montrer que le coût des immigrés pour la protection sociale est globalement inférieur à celle des nationaux.

Les immigrés originaires des pays du Sud et présents dans les pays du Nord sont surreprésentés dans la population délinquante, occasionnant de ce fait des coûts élevés pour les pays d'accueil. Cette surreprésentation est cependant trompeuse car la délinquance est essentiellement le fait du statut social (hommes jeunes et pauvres) et non du statut de migrant. Dès lors que les migrants occupent des emplois précaires, peu qualifiés et qu'ils sont plutôt de jeunes hommes, ils constituent la population type au sein de laquelle se développe la délinquance ; en revanche, à structure sociale identique, le taux de délinquance de la population immigrée n'est pas plus élevé que celui des nationaux.

Les effets de l'insertion des pays développés dans l'économie mondiale sont largement discutés. Globalement, ils semblent positifs. Pourtant, la libéralisation des échanges internationaux n'est pas exempte de dangers. C'est pourquoi elle doit être mise en œuvre de manière prudente et progressive.

CHAPITRE 5

La mondialisation est-elle favorable aux pays en développement ?

L'insertion des pays en développement (PED) dans l'économie mondialisée est patente depuis une trentaine d'années. Elle correspond à une phase de renouveau de la pensée libérale promouvant les vertus du libre-échange et de la libre circulation des facteurs de production.

1. – Les effets de l'insertion des PED dans le commerce international sont contrastés

a. – La part des PED dans le commerce mondial est limitée

La part des PED dans le commerce mondial fluctue, depuis les années 50, entre 20 et 30 %.

Part des PED dans les exportations mondiales

1950	1970	1980	1990	2000
environ 30 %	environ 20 %	environ 30 %	environ 20 %	environ 30 %

D'après les données du secrétariat du GATT et de l'OMC.

Les produits primaires représentaient plus de 90 % des exportations des PED au milieu des années 50 contre 30 % actuellement ; la part des produits manufacturés a donc beaucoup augmenté. Toutefois, plus de 80 % de ces exportations de produits manufacturés sont assurés par une dizaine de PED ; la Corée du Sud, Hongkong, Singapour et Taiwan en représentent plus de la moitié. En outre, les exportations de produits manufacturés par les PED ne constituent que 25 % des exportations mondiales de ces produits (contre 15 % en 1990). Ainsi, la plupart des PED sont exportateurs de produits primaires. Ils sont concurrencés par les pays développés qui couvrent à peu près la moitié des exportations mondiales de ces produits.

Les échanges des PED sont largement orientés vers la Triade (il s'agit, selon le Japonais Kenichi Ohmae, de l'ensemble des pays constituant les trois pôles de l'économie mondiale : les États-Unis, le Japon et l'Union européenne). Le commerce Sud/Sud, qui s'est accru ces dernières années, ne représente que 10 % des échanges mondiaux et concerne, pour la plus grande part, les PED d'Asie du Sud-Est et de l'Est.

b. – L'insertion des PED dans le commerce international peut être un facteur de croissance et de développement mais elle n'est pas exempte de dangers

Les vertus du libre-échange sont largement développées par les tenants du libéralisme, à partir des thèses d'Adam Smith et de David Ricardo (voir chapitre 3). Les exportations comme les importations génèrent des externalités positives pour les entreprises nationales, exportatrices ou non : par exemple, les importations de biens d'équipement dynamisent l'appareil productif ; les exportations imposent une rationalisation des méthodes productives que peuvent imiter les entreprises locales non exportatrices ; elles stimulent la croissance interne dont peuvent bénéficier les entreprises locales... Dans son rapport annuel de 1998, l'OMC atteste de l'efficacité de l'insertion dans le commerce international : « Un large éventail d'études très différentes les unes des autres arrivent toutes à la même conclusion fondamentale, à savoir qu'un régime de commerce extérieur ouvert stimule la croissance. »

Toutefois, aux études référencées par l'OMC s'opposent de nombreux travaux qui montrent que les effets positifs de l'ouverture et de la libéralisation des échanges sur le développement des PED ne sont pas assurés, notamment du fait des coûts d'ajustement induits par la libéralisation des échanges : faillites, exclusion d'une partie de la main-d'œuvre, perte de recettes pour l'État du fait de la disparition des droits de douane, accentuation des inégalités de revenus..., sont difficilement supportables pour un grand nombre de PED. Il en est de même des coûts que suppose la mise en œuvre des politiques macroéconomiques qui conditionnent la réussite de l'ouverture : comme l'indique l'OMC, « un régime de commerce extérieur ouvert ne suffit pas à éviter la marginalisation. Il faut que les autres politiques nationales y contribuent aussi. Parmi ces autres politiques, les plus importantes sont celles qui contribuent à créer un environnement macroéconomique favorable. Une inflation modérée, un système financier efficace, des infrastructures suffisantes, la primauté du droit et la stabilité politique sont nécessaires pour pouvoir récolter tous les avantages découlant d'une politique commerciale tournée vers l'extérieur ».

c. – La nature de la spécialisation n'est pas neutre quant aux effets de l'insertion dans le commerce international

Les pays spécialisés dans la production et l'exportation de produits primaires ne bénéficient pas d'une demande mondiale très dynamique. Ces pays peuvent pâtir d'une détérioration de leurs termes de l'échange, c'est-à-dire les prix relatifs des produits exportés en regard des prix des produits importés (indice des prix des exportations / indice des prix des importation). Une dégradation des termes de l'échange signifie qu'il faut exporter davantage pour obtenir le même volume d'importations.

Depuis la Seconde Guerre mondiale, l'évolution des termes de l'échange est défavorable aux pays exportateurs de produits primaires non pétroliers ; la situation des pays exportateurs de pétrole est plus contrastée : après une période de dégradation tendancielle jusqu'à 1970, leurs termes de l'échange s'améliorent très fortement jusqu'au milieu des années 80. Depuis, ils chutent de nouveau. Cependant, au milieu des années 90, ils sont encore supérieurs à leur niveau des années 50-60.

La dégradation des termes de l'échange commande la hausse du volume des exportations pour préserver le pouvoir d'achat des recettes d'exportations. Si tel n'est pas le cas, le déficit de la balance courante induit l'accroissement de la dette extérieure dont le remboursement peut ponctionner le revenu national ; tôt ou tard, il sera nécessaire de freiner les importations pour limiter l'ampleur du déficit externe, ce qui impose de freiner la croissance du revenu national. Ainsi, la croissance fondée sur l'insertion dans le commerce international peut être, selon la formule de l'économiste américain d'origine indienne Jagdish Bhagwati, une croissance appauvrissante.

Les pays exportateurs de produits manufacturés bénéficient d'une demande plus dynamique que ceux qui sont exportateurs de produits primaires : par exemple, depuis 1975, les PED d'Asie de l'Est, exportateurs de produits manufacturés, ont subi une détérioration de leurs termes de l'échange, au moins jusqu'au début des années 90. Cependant, grâce à la compétitivité de leur appareil productif, ils ont pu augmenter le volume de leurs exportations au point d'accroître le pouvoir d'achat de leurs recettes d'exportations.

Une spécialisation sur les produits semi-finis ou les biens de consommations courante peut induire des conséquences négatives analogues à celles de la spécialisation sur les produits primaires. La Thaïlande, par exemple, a connu une nette évolution de sa spécialisation depuis les années 70 : les exportations fortement orientées sur les produits primaires ont laissé place aux exportations de produits manufacturés et de semi produits (dont les composants électroniques). Or ce type de produits se heurte rapidement à la saturation des marchés et à la concurrence d'autres PED ayant la même spécialisation. Les dirigeants thaïlandais n'ont pas su ou pas pu faire évoluer la spécialisation de leur pays, ce qui a contribué pour une part non négligeable au déclenchement de la crise asiatique de 1997-1998 et à un très net recul de l'activité économique du pays.

2. – Les conséquences de l'ouverture des PED aux flux de capitaux internationaux sont également mitigées pour ces pays

a. – Les flux de capitaux en direction des PED ont considérablement augmenté depuis une trentaine d'années

Les investissements directs à l'étranger (IDE) des firmes multinationales en direction des PED sont pourvoyeurs d'emplois, de transferts de technologies et alimentent un courant d'exportations. Ainsi, la forte croissance de la Chine depuis la fin des années 70 est partiellement due à la présence de filiales de FMN.

Mais ces effets bénéfiques sont incertains : les emplois créés peuvent être inadaptés à la main-d'œuvre disponible des PED ; les transferts de technologies ne sont pas garantis : d'abord du fait de la réticences des firmes ; ensuite parce qu'ils nécessitent des capacités locales, financières, humaines... qui ne sont pas toujours réunies. En outre, l'implantation de firmes multinationales génère des exportations mais également des importations en provenance de la maison mère et/ou d'autres filiales ; elle peut aussi conduire à des faillites de producteurs locaux. De plus, ces capitaux privilégient les zones les plus dynamiques (par exemple, Singapour, l'Indonésie, la Chine, le Mexique et le Brésil…) ; en revanche, les zones les moins avancées (Afrique subsaharienne en particulier) sont délaissées. Enfin, les IDE peuvent perpétuer une spécialisation s'avérant peu favorable au développement : ainsi, si la Chine reste le lieu de production de biens de consommation courante et de produits semi-finis destinés à l'exportation, elle se heurtera tôt ou tard à la saturation des marchés des pays développés et/ou à l'attractivité croissante de certains pays voisins du fait d'un très bas coût de la main-d'œuvre (Vietnam, Laos...).

Cependant, ce scénario n'est pas inéluctable. La Corée du Sud, par exemple, a pu contrôler et canaliser l'essor des filiales étrangères dans le cadre d'une stratégie d'industrialisation impulsée par l'État. Au cours des années 60, une stratégie de promotion des exportations de produits de consommation courante est adoptée ; à partir de la décennie suivante, la Corée du Sud met en œuvre une politique de substitution d'exportations (exportations de produits à plus haute valeur ajoutée) et maintient un régime protecteur en faveur des industries naissantes. Une fois encore, l'action des pouvoirs publics est fondamentale pour faire évoluer une spécialisation en partie déterminée par les FMN.

Les investissements de portefeuille (placements) ont répondu aux besoins de financement des PED mais ils ont également contribué à leur instabilité. Par exemple, en 1994, le Mexique est confronté à une grave crise consécutive à la sortie de capitaux volatils ; en 1997, la crise asiatique débute en Thaïlande à la suite de fuites massives de capitaux résultant des mauvais résultats économiques de ce pays. Par ailleurs, les interdépendances liées à la globalisation financière induisent un processus de propagation des crises qui peut être préjudiciable aux PED : ainsi, la crise asiatique s'est traduite par une fuite des capitaux de nombreux pays de la région, provoquant la défiance des détenteurs de capitaux à l'égard d'autres PED, notamment le Brésil. Les sorties de capitaux de ce pays ont imposé aux autorités brésiliennes une dépréciation du real puis sa dévaluation de 40 % au début de 1999.

b. – L'insertion dans les échanges mondiaux s'est traduite par un endettement extérieur souvent excessif des PED

La dette extérieure répond aux besoins de financement des PED. Dès lors qu'au niveau macroéconomique le volume d'épargne intérieure est inférieur à celui des investissements, le besoin de financement de la nation que cette inégalité exprime est couvert en partie par le recours à un endettement externe.

Jusqu'aux années 60, la dette extérieure des PED reste d'un montant limité. À partir des années 70, elle s'accroît et la charge que représente son remboursement est de plus en plus lourde. Au début des années 80, le Mexique, puis le Brésil, l'Argentine, le Chili, le Maroc..., se déclarent incapables d'assurer le remboursement de leur dette extérieure. Dans les années 1985-1990, des programmes de gestion de la dette sont mis en œuvre : le montant de la dette continue de croître (plus de 2 000 milliards de dollars à la fin des années 90) mais le ratio du service de la dette (partie du capital emprunté qui est remboursée annuellement et intérêts annuels, en pourcentage des exportations annuelles) s'améliore

(20 % environ pour l'ensemble des PED). Dans certains cas, il est encore très inquiétant (74 % au Brésil, 58 % en Argentine...).

Avant 1985, les mesures destinées à endiguer l'augmentation de la dette extérieure des PED s'avèrent insuffisantes : il s'agit pour l'essentiel de mesures de rééchelonnement de la dette, c'est-à-dire d'allongement de la période de remboursement des emprunts, assorties de politiques d'ajustement structurel par les PED auxquels les institutions internationales, mais aussi des banques, accordent de nouveaux prêts.

Les politiques d'ajustement structurel (PAS) sont des politiques économiques promues par le FMI depuis les années 70, pour réduire les déséquilibres externes, sources d'endettement extérieur ; elles comportent un volet conjoncturel, correspondant à la mise en œuvre de politiques d'austérité classiques de freinage de la demande intérieure pour réduire les importations et l'inflation ; sur le plan structurel, les PAS visent à instaurer une économie de marché assainie afin de garantir une croissance durable : il s'agit alors de libéraliser l'économie (liberté des prix, réduction des subventions...) et donc de désengager l'État (diminution du nombre de fonctionnaires, privatisations..), de promouvoir l'épargne comme moyen privilégié de financement des investissements, de favoriser le libre-échange... Ainsi, les PAS s'inscrivent nettement dans une perspective libérale.

Cinq catégories de critiques ont été émises à l'encontre des PAS :

– elles induisent l'accroissement du chômage, de la pauvreté et de l'exclusion ;

– les politiques d'austérité, fondées sur des taux d'intérêt élevés et le freinage de la demande intérieure, brident l'investissement ;

– les PED ayant réussi leur décollage n'ont pas appliqué les principes libéraux promus par le FMI ;

– la réussite des PAS dépend de l'adaptation des structures des PED au règles de fonctionnement de l'économie de marché, ce qui est loin d'être toujours le cas : l'économie de marché ne se décrète pas ;

– les PAS génèrent une valorisation du taux de change du fait du ralentissement de l'inflation et de la hausse des taux d'intérêt. À terme, la compétitivité-prix des produits exportés par les PED est réduite, d'où une tendance au déficit sauf à dévaluer suffisamment la monnaie (ou à faire en sorte qu'elle se déprécie).

Le FMI et la Banque mondiale récusent ces critiques : d'une part, les PAS sont nécessaires du fait des dysfonctionnements majeurs des économies des PED ; d'autre part, elles ont contribué à l'allégement du poids de la dette. Depuis la crise asiatique (1997-1998), ces deux institutions internationales, la Banque mondiale tout particulièrement, semblent cependant vouloir prendre davantage en compte les effets négatifs (en particulier sociaux) des PAS.

En 1985, le plan Baker (James Baker était secrétaire au Trésor sous la présidence de Ronald Reagan) offre aux PED les plus endettés la perspective de nouveaux prêts leur permettant de faire face à leurs engagements. Il leur est également demandé de mettre en œuvre des PAS. Cependant, la reprise des prêts n'a pas vraiment eu lieu. Plutôt que d'accorder de nouveaux prêts aux PED, les banques préfèrent provisionner leurs créances douteuses.

En 1989, une nouvelle initiative est impulsée, le plan Brady (Nicholas Brady était secrétaire au Trésor sous la présidence Bush), destinée à réduire l'endettement et le ratio du service de la dette des pays les plus lourdement endettés auprès des banques. Ces pays peuvent emprunter des fonds au FMI et à la Banque mondiale (sous condition d'appliquer une PAS). Ces fonds permettent à ces pays de racheter les titres représentatifs de leur dette auprès des banques, à un coût moindre que leur valeur nominale (décote) ; les PED peuvent également échanger ces titres contre des obligations (soit avec décote, soit portant un taux d'intérêt inférieur à celui qu'ils devaient jusqu'alors supporter), dont le remboursement est garanti par le Trésor américain. Dans tous les cas, les banques acceptent donc d'annuler partiellement leurs créances (décote et/ou réduction des taux d'intérêt).

Au début du XXIe siècle, la dette des PED est encore un sujet de préoccupation même si elle ne présente pas le même caractère de gravité qu'au début des années 80. Cependant, la situation de certains PED reste fragile et les soubresauts conjoncturels ne sont pas rares, comme le démontrent la crise asiatique (1997-1998) et les difficultés auxquelles se sont heurtés le Mexique, le Brésil, l'Argentine...

3. – Les flux migratoires génèrent des effets incertains sur les PED d'origine des émigrants

a. – L'émigration offre de nombreux avantages pour les PED d'origine

Une croissance démographique excessive pèse sur le marché du travail et entraîne un phénomène de pauvreté de masse. De plus, si le taux de croissance démographique dépasse le taux de croissance économique, le revenu par tête diminue (alors qu'il est déjà faible dans certains pays) et donc l'épargne et la demande intérieures ne peuvent soutenir la croissance.

L'émigration offre l'opportunité de diminuer la pression démographique et de dégager les moyens de financer la croissance économique.

En outre, un pouvoir d'achat trop faible nuit à l'activité économique interne des PED. Il ne permet pas la croissance de la demande intérieure, d'où le blocage du développement. De plus, un niveau de vie trop faible limite l'épargne et freine l'investissement, lequel est de toute manière bridé par les perspectives d'amélioration de la demande qui sont mauvaises. Les émigrants en transférant une partie de leurs revenus à leurs familles restées sur place permettent d'alimenter la demande intérieure et de financer des investissements. Ces transferts de revenus permettent également aux pays d'origine d'équilibrer leurs comptes extérieurs et donc d'importer des biens d'équipement (des machines) qui leur sont nécessaires.

Une main-d'œuvre peu qualifiée risque d'entraver la croissance économique. Les transferts de technologies (par exemple, les achats de machines) susceptibles d'aider les PED à accéder au développement ne peuvent pas être réalisés si la population active n'a pas les qualifications adaptées. En outre, une faible qualification induit une faible productivité du travail et donc des coûts de production unitaires élevés, qui grèvent la compétitivité-prix. L'émigration va permettre aux migrants d'acquérir une qualification, ou d'améliorer leur niveau de qualification, et, de retour dans leur pays, ils pourront la transmettre à leurs concitoyens et/ou mettre en œuvre de nouvelles technologies.

b. – Mais il ne faut pas sous-estimer les effets pervers de l'émigration pour les PED

La croissance démographique peut ne pas être ralentie et, si elle l'est, elle peut s'avérer néfaste pour la croissance économique. L'émigration ouvre des perspectives d'emplois et il est donc possible que les familles accroissent ou maintiennent leur fécondité puisque les chances d'accéder à un revenu augmentent. Le départ d'une partie de la main-d'œuvre masculine et jeune risque de s'avérer négatif pour la production agricole dans les PED : d'abord, parce que la main-d'œuvre restante (femmes, enfants, vieux) est *a priori* moins productive ; ensuite, parce que les comportements ruraux traditionnels amènent à ajuster le niveau de la production agricole au nombre de bouches à nourrir : or, celui-ci décline. De plus, une moindre pression démographique peut limiter l'incitation à innover. Enfin, une croissance démographique élevée n'est pas forcément un handicap, dans la perspective de débouchés croissants et d'emploi d'une main-d'œuvre bon marché : en freinant la croissance démographique, l'émigration impliquerait alors une moindre croissance.

Les transferts de fonds des émigrants vers leurs pays d'origine peuvent être utilisés pour l'achat de produits importés : il en résulte un déficit extérieur et une demande intérieure insuffisamment dynamique. Ainsi, le déficit d'épargne nationale ne sera pas comblé par l'envoi des fonds et l'investissement interne restera insuffisant.

Le retour d'une main-d'œuvre qualifiée est loin d'être assuré. D'abord, parce que les travailleurs émigrants peuvent préférer rester dans le pays d'accueil et y faire venir leurs familles. C'est le cas, singulièrement, des émigrants les plus qualifiés (*brain drain* dont profitent les pays du Nord au détriment de pays moins développés et de certains pays développés). Ensuite, les emplois occupés par la main-d'œuvre migrante dans ses pays d'accueil sont fréquemment peu qualifiés. Il n'est donc pas certain que son retour au pays se traduira par un gain en capital humain.

La dépendance du pays d'origine s'accroît du fait de l'émigration. Les pays d'origine peuvent faire l'objet de pressions politiques de la part des pays d'accueil menaçant d'expulsion leurs ressortissants : cet argument trouve une illustration dans l'attitude de l'Arabie Saoudite au moment de la guerre du Golfe menaçant d'expulsion les travailleurs originaires de tout pays soutenant l'Iraq. Cela illustre aussi le fait que, même en dehors de toute pression politique, les pays d'origine se retrouvent de fait dépendants de la conjoncture économique des pays d'accueil : depuis 1975, la France a considérablement ralenti l'accueil de travailleurs immigrés, ce qui a eu des répercussions dans les pays d'Afrique du Nord, contribuant sans doute à l'aggravation du problème de l'emploi mais aussi des problèmes sociaux internes à ces pays.

L'insertion des PED dans l'économie mondialisée est fréquemment perçue comme un facteur de développement, comme le soutient, par exemple, l'OMC : « Les pays en développement ouverts ont des résultats nettement meilleurs que les pays en développement fermés. » L'observation des faits invite à plus de circonspection : les stratégies d'ouverture qui ont réussi ont été très pragmatiques et progressives. Dans son livre *la Grande Désillusion*, l'Américain Joseph Stiglitz (prix Nobel d'économie en 2001) souligne que « les pays en développement qui ont le mieux réussi [...] ont profité de la mondialisation pour augmenter leurs exportations, et leur croissance en a été accélérée. Mais ils n'ont levé leurs barrières protectionnistes qu'avec précaution et méthode ».

CHAPITRE 6

La mondialisation favorise-t-elle le développement durable ?

Au cours des années 80, les préoccupations environnementales de la communauté internationale président à l'élaboration du concept de « développement durable » qui fait l'objet d'un rapport rédigé en 1987 pour le compte de l'Organisation des Nations unies par la Norvégienne Gro Brundtland. Le développement durable (ou développement soutenable) est fondé sur une croissance économique permettant de satisfaire les besoins des générations actuelles en préservant la possibilité de satisfaire ceux des générations à venir ; dans cette perspective, la protection de l'environnement est essentielle.

Quels sont les effets de la mondialisation sur le développement durable ?

1. – Les effets de la mondialisation sur le développement durable sont contrastés

a. La mondialisation peut favoriser le développement durable

La mondialisation peut contribuer à la sauvegarde de l'environnement. L'ouverture extérieure des pays facilite les échanges de technologies et/ou de biens d'équipement préservant l'environnement : par exemple, l'élargissement de l'Union européenne aux ex-pays socialistes d'Europe de l'Est contribuera à l'extension du libre-échange et favorisera la diffusion de technologies nucléaires permettant de remplacer ou de réparer les vieilles centrales dangereuses installées à l'Est.

La mondialisation accentue la concurrence ; les entreprises sont alors incitées à accroître leur compétitivité structurelle (ou compétitivité-hors prix) par la différenciation de leurs produits, par exemple en améliorant et en promouvant leurs qualités écologiques (emballage recyclable, composants non polluants...), ce dont bénéficiera l'environnement.

Par ailleurs, le protectionnisme pourrait avoir des effets pervers : à l'abri de barrières douanières, les firmes ne sont pas suffisamment incitées à moderniser leurs équipements. Elles peuvent ainsi perpétuer des combinaisons productives nécessitant une consommation énergétique élevée, contribuant ainsi à l'épuisement des ressources naturelles et à l'accroissement du niveau de pollution...

L'ouverture extérieure est facteur de croissance (voir chapitres 4, 5 et 8). La croissance génère un surplus de revenus dont vont bénéficier les générations actuelles mais également les générations à venir.

Grâce à la croissance de leurs revenus, les ménages peuvent améliorer leur bien-être et celui de leur descendance. Du fait de l'enrichissement global, l'État et plus généralement les administrations publiques enregistrent des recettes supplémentaires pouvant financer des investissements propres à soutenir la croissance et à améliorer le cadre de vie : la construction ou la modernisation des infrastructures, la préservation de l'environnement..., bénéficieront aux générations futures. De plus, les dépenses publiques d'éducation et de formation peuvent s'accroître ; or ces dépenses contribuent à l'élévation de la productivité de la main-d'œuvre actuelle et future...

b. – La mondialisation peut aussi nuire au développement durable

La mondialisation peut conduire, dans certains cas, à la destruction de l'environnement. En effet, elle accentue la concurrence qui commande la réduction des coûts unitaires ; or la réglementation protectrice du cadre de vie, le traitement des déchets..., élèvent les coûts. Ainsi, la protection de l'environnement pourrait être remise en cause pour accroître la compétitivité-prix des entreprises. De plus, pour inciter les firmes multinationales à investir sur leur territoire, certains pays pourraient accroître leur attractivité en réduisant les mesures et les contraintes destinées à préserver l'environnement.

La mondialisation provoque l'expansion des transports qui peuvent mettre en péril l'environnement ; par exemple, le développement des échanges maritimes a déjà causé de nombreuses catastrophes écologiques. En outre, le libre-échange facilite l'exportation de produits dangereux (déchets nucléaires, produits chimiques...) ; la libre circulation des capitaux permet l'implantation de filiales pollueuses dans les pays en développement, voire dans certains pays développés... En revanche, le protectionnisme pourrait avoir des effets positifs, en contingentant certaines importations de technologies ou produits dangereux pour l'environnement, en imposant des normes antipollution...

La mondialisation tend à diffuser le mode de production et de consommation occidental. En l'état actuel des techniques, une telle extension se traduirait par un niveau de pollution insupportable et l'épuisement rapide des ressources naturelles.

Par ailleurs, la mondialisation menace la croissance. Le libre-échange sans limites induit la surexploitation des ressources naturelles dont le renchérissement du fait de leur rareté pourrait à terme freiner la croissance... À cela s'ajoute le poids de la contrainte extérieure dans certains pays dont les firmes sont insuffisamment compétitives, amenant des politiques d'austérité bridant la croissance. La contrainte extérieure est également très lourde pour les PED endettés, cet endettement trouvant en partie sa source dans des échanges accrus mais déficitaires (voir chapitres 4 et 5).

La mondialisation peut conduire à l'appauvrissement des populations (voir chapitres 4 et 5). Par exemple, la thèse de Bhagwati sur la « croissance appauvrissante » montre que l'insertion dans les échanges liée à l'extension du libre-échange peut avoir des effets pervers (voir chapitre 5). Dès lors que la population s'appauvrit, il devient plus difficile de préserver l'environnement faute de moyens financiers suffisants. En outre, la dégradation de l'environnement accentue l'appauvrissement de la population : par exemple, la pollution de l'air et de l'eau porte atteinte à la santé, affaiblissant les capacités productives des individus n'ayant pas les moyens d'y faire face ; la pauvreté s'accentue.

2. – Il est nécessaire d'encadrer la mondialisation pour préserver le développement durable

a. – Au niveau des pays, il est possible d'appliquer des politiques propres à limiter les effets négatifs de la mondialisation sur le développement durable

Les pouvoirs publics nationaux ont le choix entre deux grandes stratégies :

– Ils peuvent appliquer le principe du « pollueur payeur » : au cours des années 20, dans le cadre théorique de l'économie du bien-être, l'économiste libéral britannique Arthur Cecil Pigou (1877-1959) prévoit que l'État puisse intervenir dans l'économie pour lutter contre les effets externes négatifs que les mécanisme du marché ne peuvent prendre en compte : il s'agit de taxer les agents produisant des effets externes négatifs (à la hauteur des nuisances qu'ils provoquent) et de subventionner ceux produisant des effets externes positifs (à la hauteur des bienfaits qu'ils génèrent). L'analyse de Pigou permet de justifier le principe du pollueur payeur qui impose aux agents économiques dont les activités sont source de pollution de verser à l'État ou à une collectivité locale une indemnité compensatrice. Ce procédé induirait une hausse des coûts de production mais celle-ci pourrait être compensée par des gains de productivité modestes ou un abaissement des taux de change.

– Ils peuvent également appliquer les principes définis notamment par le libéral Ronald Coase (né en 1910, prix Nobel d'économie en 1991) pour lequel la prise en compte des effets externes repose sur une claire détermination des droits de propriété de chacun (par exemple, le droit de disposer d'air pur). Dès lors, l'État doit garantir les droits de propriété et laisser les agents économiques négocier librement entre eux des conditions d'usage de ces droits. Ainsi, depuis les années 80, une solution de substitution au principe du « pollueur payeur » est proposée : l'allocation de droits à polluer, c'est-à-dire de permis de polluer, distribués aux entreprises par les pouvoirs publics. Après distribution initiale des droits à polluer, les entreprises dont l'activité génère un niveau de pollution dépassant le niveau autorisé doivent acquérir des droits à polluer auprès d'autres entreprises qui n'utilisent pas la totalité de leurs permis. Le prix de ces droits à polluer est déterminé par la confrontation de l'offre et de la demande des droits. Ainsi, un niveau de pollution excessif entraîne la hausse du prix des droits à polluer, ce qui incite les entreprises à être plus attentives à la préservation de l'environnement. L'action de l'État (et des pouvoirs publics en général) est alors réglementaire : il s'agit de fixer les niveaux de pollution autorisés et de les contrôler pour imposer l'usage des droits à polluer. Malgré les difficultés inhérentes à l'instauration des marchés des droits à polluer, certaines expériences ont pu être mises en place, notamment aux États-Unis.

Cependant, lorsque des pays prennent des mesures pour préserver leur environnement, d'autres peuvent adopter une conduite de « passager clandestin » : ils souhaitent profiter des gains collectifs au niveau mondial (pureté de l'air, de l'eau, etc.) induits par les mesures de protection de l'environnement sans en supporter les coûts. Ainsi, les firmes de ces pays bénéficieraient d'un avantage de compétitivité-prix. Mais, comme chaque pays a intérêt à adopter un comportement de « passager clandestin », le risque réside dans le fait que les mesures destinées à préserver l'environnement ne soient pas prises et que donc toute la communauté internationale en pâtisse.

Par ailleurs, les pratiques protectionnistes que commanderait la nécessité de préserver l'environnement (taxation ou contingentement de technologies et produits importables jugés dangereux pour le cadre de vie) ou la baisse des taux de change destinée à compenser le surcoût des mesures de préservation de l'environnement pourraient générer des guerres commerciales et/ou monétaires entre pays. Un éventuel repli protectionniste se traduirait par une réduction des débouchés pour tous. Les risques d'appauvrissement sont alors loin d'être négligeables.

b. – Il est nécessaire d'envisager le renforcement de la coopération internationale

Depuis les années 80, de multiples conférences internationales, réunions intergouvernementales ou de chefs d'État, ont induit une prise de conscience plus nette des interdépendances entre économie et écologie et de la nécessité d'une réelle coopération internationale. Toutefois, les résultats concrets sont limités :

– Au niveau européen, des programmes communautaires en matière de protection de l'environnement ont été mis en place et les traités de Maastricht et d'Amsterdam confirment l'orientation vers la promotion d'un développement durable. L'Agence européenne pour l'environnement (AEE) existe depuis 1990 mais fonctionne depuis 1994 seulement ; quelques résultats ont déjà été obtenus (essence sans plomb, normes réduisant les gaz d'échappement...).

– La mise en place de l'OMC ne se traduit pas encore réellement par des mesures propres à concilier économie et écologie mais la déclaration finale de la conférence de Marrakech (avril 1994) indique que deux principes guideront l'action de l'institution dans ce domaine : 1° : loin d'être une charge, l'environnement est un moteur pour les investissements et les échanges ; 2° : la préservation de l'environnement impose une attitude collective propre à éviter le comportement de « passager clandestin » et les guerres commerciales. Dans cette perspective, il a été décidé de créer un comité du commerce et de l'environnement chargé d'étudier les relations entre mesures environnementales et mesures commerciales, et de faire des propositions et recommandations dans le sens de l'instauration d'un développement durable.

– En 1992, à Rio, la conférence des Nations unies sur l'environnement et le développement élabore une convention sur le changement climatique dont l'objectif était de réduire les émissions de gaz à effet de serre, et, plus globalement, de promouvoir un développement durable. En 1997, le protocole de Kyoto établit des objectifs quantifiés de réduction des gaz à effet de serre pour les pays développés ; il promeut l'usage des droits à polluer au sein des pays et entre eux. Mais, en juillet 2001, les États-Unis se sont soustraits unilatéralement aux règles du protocole de Kyoto, réduisant de ce fait sa crédibilité.

Le développement durable peut bénéficier ou pâtir de la mondialisation. Si les États ont un rôle important à jouer pour que les effets bénéfiques l'emportent, la coopération internationale est absolument nécessaire, mais elle est difficile à mettre en œuvre.

CHAPITRE 7

La mondialisation fait-elle converger les nations vers un même modèle de société ?

La mondialisation semble induire la convergence des pays vers un même modèle de société en raison de l'uniformisation des cultures et de l'extension d'une forme dominante de capitalisme qu'elle paraît impliquer.

1. – La mondialisation n'uniformise pas les cultures nationales

a. – L'uniformisation culturelle n'est pas inéluctable

La mondialisation élargit l'espace de référence des individus. Le libre-échange, la libre circulation des capitaux, les migrations internationales, d'une part, le progrès technique dans les domaines des télécommunications et des transports, d'autre part, favorisent le contact entre les cultures. Ainsi, la mondialisation économique paraît favoriser la mondialisation culturelle, c'est-à-dire l'émergence d'une culture mondiale uniformisant les cultures nationales ; en retour, la mondialisation culturelle peut accentuer la mondialisation économique.

La mondialisation culturelle pourrait correspondre à l'une des trois modalités suivantes :

– Émergence d'une culture mondiale, issue du contact entre des cultures nationales et de leur symbiose. Dans cette perspective, la culture mondiale n'est pas celle d'un pays ou d'un ensemble de pays dominants.

– Américanisation du monde, conséquence de l'hégémonie des États-Unis qui conduit à l'extension de la culture américaine au reste du monde.

– Occidentalisation du monde résultant de la domination qu'exercent les pays occidentaux sur le monde. Dans ce cas, la culture mondiale est celle d'un ensemble de pays dominants (pays occidentaux) et non pas celle d'un seul pays.

Par conséquent, la mondialisation culturelle, quelles qu'en soient les modalités, paraît devoir aboutir à une uniformisation. C'est pourquoi, au cours des années 80, l'anthropologue Claude Lévi-Strauss soutient que « l'humanité s'installe dans la monoculture ; elle s'apprête à produire la civilisation de masse comme la betterave. Son ordinaire ne comportera plus que ce plat ».

En fait, l'uniformisation n'est pas inéluctable et est sans doute peu probable. Les contacts prolongés entre cultures différentes provoquent une acculturation des peuples concernés, c'est-à-dire des changements culturels au sein des sociétés en contact, selon quatre modalités :

– L'assimilation : une collectivité humaine adopte la culture d'une autre et abandonne ses traits culturels spécifiques. L'américanisation et l'occidentalisation du monde, dont la réalité est discutable (voir *infra*), relèvent de cette logique.

– L'adaptation : une collectivité humaine emprunte certains traits culturels à d'autres collectivités en les adaptant à sa propre culture. Celle-ci va, de ce fait, évoluer par intégration de nouvelles caractéristiques culturelles. Dans cette perspective, la convergence vers un même modèle culturel au niveau mondial est peu probable car chaque société n'adopte pas les mêmes traits culturels d'autres sociétés et ne les adapte pas de la même façon.

– La contre-acculturation : une collectivité humaine rejette la culture d'autres collectivités et valorise certains traits culturels qui lui sont spécifiques. Ce processus s'oppose à la mondialisation culturelle comme à l'américanisation ou à l'occidentalisation du monde : ce fut, par exemple, le cas, en Afghanistan, après l'accès au pouvoir des fondamentalistes islamistes en 1996 (jusqu'à 2001).

– Ces trois situations ne sont pas totalement exclusives : au sein d'une même société, certains traits culturels peuvent disparaître et être remplacés par des traits culturels empruntés à d'autres sociétés (assimilation partielle) ; dans le même temps, certains traits culturels empruntés peuvent être adaptés à la culture nationale (adaptation partielle) pendant que des caractéristiques spécifiques de celle-ci sont valorisées (contre-acculturation partielle). Les modalités pratiques de ces trois processus n'ont aucune raison d'être identiques dans chaque pays, ce qui rend très improbable l'hypothèse de l'uniformisation culturelle.

b. – La diversité culturelle subsiste et ne conduit pas nécessairement au conflit des cultures

Comme le montre l'anthropologue Jean-Pierre Warnier dans son livre *la Mondialisation de la culture* (La Découverte, 1999), « l'humanité est une machine à créer de la différence » en dépit des processus pouvant conduire à une uniformisation. De nombreuses enquêtes confirment en effet que les pratiques culturelles restent différentes. Par exemple, pour le sociologue Philippe d'Iribarne (*Cultures et mondialisation*, Seuil, 1998), bien que les pays démocratiques soient attachés aux mêmes valeurs de liberté et d'égalité, leurs cultures politiques sont différentes ; leurs conceptions de l'homme libre sont très variées : dans l'aire germanique, l'homme est libre s'il participe vraiment au processus de décisions collectives ; en France, une conception plus hiérarchique fait que l'homme libre est celui qui conserve son indépendance de pensée face à ceux qui disposent du pouvoir de décision et qui imposent leurs choix. Dans les pays anglo-saxons, la liberté est davantage encadrée par le droit, par le contrat...

Selon l'Américain Samuel Huntington (*le Choc des civilisations*, éd. Odile Jacob, 1997), le monde est aujourd'hui divisé en sept ou huit « civilisations culturelles » : les civilisations occidentale, islamique, orthodoxe, chinoise, japonaise, hindoue et latino-américaine, auxquelles pourrait être ajoutée une civilisation noire-africaine. La diversité culturelle est donc patente. De plus, au conflit Est/Ouest se substituerait un conflit des civilisations : « Les différences entre civilisations sont réelles et importantes ; le sentiment d'appartenance à une civilisation est de plus en plus répandue ; les conflits entre civilisations remplaceront les conflits idéologiques ou autres en tant que principales formes de conflits. » Plus particulièrement, le conflit Occident/monde de l'islam intégriste serait le conflit majeur du XXIe siècle.

En 1999, Ronald Inglehart confirme la thèse de la diversité culturelle, sur la base de plusieurs enquêtes mondiales sur les valeurs. Pour ce sociologue, les sociétés se différencient selon l'importance accordée, d'une part, à la religion et aux valeurs familiales traditionnelles et, d'autre part, aux valeurs émancipatrices d'auto-réalisation de soi : celles-ci s'opposent aux « valeurs de pénurie » prévalant dans les sociétés dont le niveau de développement est tel que la satisfaction des besoins primaires et l'accès aux biens matériels sont prioritaires. Ainsi, dans les pays islamiques, le poids de la religion et des valeurs traditionnelles est très fort ; les « valeurs de pénurie » dominent ; dans les pays anglophones, tels les États-Unis, la religion occupe une place importante mais il en est de même des valeurs d'auto-réalisation de soi. Dans les pays de l'Europe du Nord, la prégnance de la religion est moindre ; il s'agit également de sociétés accordant une grande importance à l'épanouissement personnel. En revanche, les pays d'Europe de l'Est se situent dans une position intermédiaire quant à l'importance de la religion et adhèrent aux « valeurs de pénurie ».

Par ailleurs, Inglehart récuse la thèse de l'inéluctabilité du conflit des « civilisations culturelles ». Ce point de vue est partagé par de nombreux sociologues et anthropologues qui constatent que la coexistence pacifique des cultures est plus fréquente que leur conflit.

c. – Les débats autour de l'« exception culturelle » ne sont pas uniquement fondés sur le souci de préserver la diversité culturelle

La mondialisation économique n'implique donc pas obligatoirement l'uniformisation des cultures, ni l'émergence d'une culture mondiale ou l'extension d'une culture dominante (américanisation ou occidentalisation). Pourtant, les craintes persistent.

Ainsi, les négociations commerciales multilatérales conduites au cours de l'*Uruguay Round* (1986-1993) ont révélé une opposition entre la Communauté économique européenne (devenue, depuis 1993, l'Union européenne) et les États-Unis, sur la libéralisation des produits culturels. Cette libéralisation, réclamée par les États-Unis, se heurte à l'opposition de l'Europe (notamment de la France), désireuse d'instituer une clause d'exception culturelle destinée à soustraire les biens et les services culturels des règles du libre-échange.

Cependant, la définition du champ de l'exception culturelle est délicate : par exemple, les industriels de l'agroalimentaire français pourraient se prévaloir de l'exception culturelle au nom de la préservation des traditions alimentaires nationales. Plus généralement, tout bien ou tout service peut être considéré comme un produit culturel.

Pour l'UNESCO, les produits culturels sont des biens et des services de consommation « qui véhiculent des idées, des valeurs symboliques et des modes de vie, qui informent ou distraient, contribuant à forger et à diffuser l'identité collective tout comme à influencer les pratiques culturelles ». Ces produits sont protégés par un droit d'auteur (livres, productions audiovisuelles...). L'UNESCO ajoute les activités des administrations et des entreprises chargées de conserver et de diffuser les produits culturels (musées, bibliothèques...).

En fait, les produits couverts par le principe d'exception culturelle ne concernent que le secteur audiovisuel (films, productions télévisuelles et radiophoniques, enregistrements audio, vidéo...) ; les pays peuvent choisir de mener leur propre politique commerciale dans le domaine des produits audiovisuels, en n'appliquant pas les clauses de libéralisation prévues par les négociateurs de l'*Uruguay Round*. En principe, cette possibilité n'est que temporaire : elle doit être renégociée lors des prochaines phase des négociations multilatérales au sein de l'Organisation mondiale du commerce.

Plusieurs arguments ont été mobilisés pour justifier la clause d'exception culturelle appliquée dans l'audiovisuel.

– Un film, par exemple, entraîne les mêmes coûts de production, qu'il soit vu par 1 000 ou 10 millions de spectateurs. De ce point de vue, les Américains disposent d'un avantage certain : en effet, la taille de leur marché leur permet de rentabiliser rapidement leur production cinématographique. La libéralisation de ce type de produits ouvrirait les marchés nationaux aux productions américaines dont le coût est déjà amorti. Les producteurs américains pourraient diminuer leurs prix sur les marchés étrangers et ainsi éliminer leurs concurrents. De ce fait, l'offre de produits culturels dans le domaine audiovisuel serait à terme réduite et sa diversité, moindre.

– Les productions audiovisuelles sont les vecteurs des cultures nationales. À ce titre, elles sont source d'externalités positives (image du pays étranger, diffusion de la culture commune au sein de la collectivité nationale, éducation et apport d'informations...). Le libre-échange pourrait provoquer des faillites dans le secteur de la production audiovisuelle ; la libre concurrence pourrait conduire à l'uniformisation des productions audiovisuelles. La culture nationale en pâtirait.

D'autres arguments s'opposent à l'adoption de la clause d'exception culturelle :

– Pour les libéraux, l'exception culturelle est une des modalités du protectionnisme ; elle est donc source de dysfonctionnements : préservation d'activités peu efficientes, captation de ressources financières au détriment d'activités plus productives, élévation des prix supportés par les consommateurs, frein à la création et à l'innovation.

– Les cultures nationales peuvent bénéficier de la mondialisation : par exemple, des firmes nationales américaines de l'édition musicale peuvent produire des chanteurs français et promouvoir de ce fait la culture française.

En fait, la clause d'exception culturelle serait un moyen par lequel des pays tentent de sauvegarder leurs intérêts commerciaux et non de préserver leur culture nationale.

La crainte d'une uniformisation culturelle provoquée par la mondialisation n'est donc pas totalement fondée. Par conséquent, la mondialisation n'implique pas nécessairement la convergence des pays vers un même modèle de société.

2. La mondialisation n'induit pas l'uniformisation des formes nationales de capitalisme

a. – L'économiste Robert Boyer distingue plusieurs formes de capitalisme dont les configurations résultent des histoires nationales

Le capitalisme est un système fondé sur la propriété privée des moyens de production et l'accumulation du capital. L'évolution historique des pays capitalistes s'est traduite par des formes nationales de capitalisme que la mondialisation semble aujourd'hui remettre en cause.

Robert Boyer repère quatre grandes formes nationales de capitalisme. Le capitalisme « marchand » (Grande-Bretagne, États-Unis) valorise la concurrence et les mécanismes de marché. Le capitalisme « méso-corporatiste » (Japon) confère aux grandes firmes nippones un important rôle régulateur (détermination des salaires, relations donneurs d'ordres/sous-traitants, relations banques/industries, coordination État/entreprises...) ; l'État y joue un rôle important mais second par rapport à celui des grandes firmes. Le capitalisme « social-démocratique » (pays scandinaves, Allemagne) privilégie la négociation sociale (syndicats/patronat, avec un arbitrage plus ou moins marqué de l'État), pour réduire les tensions résultant des évolutions économiques, et donne une grande place à la formation et à la limitation des inégalités. Enfin, le capitalisme « étatique » ou « public » (France) est fondé sur une large intervention des administrations publiques, y compris dans la négociation sociale du fait de la faiblesse des corps intermédiaires (syndicats).

Dans une économie mondialisée, le capitalisme « marchand » paraît être supérieur aux autres formes nationales de capitalisme qui souffrent de plusieurs handicaps. En effet, le modèle « méso-corporatiste » est moins flexible que le modèle « marchand ». Le capitalisme « social-démocratique » limite le rôle des marchés financiers ; l'intervention de l'État est forte, ce qui alourdit la fiscalité. C'est aussi le cas du capitalisme « étatique » qui connaît en outre de multiples rigidités et une lenteur d'adaptation aux évolutions conjoncturelles et structurelles de l'économie mondiale.

A contrario, le capitalisme marchand paraît plus adapté à la mondialisation.

La négociation salariale est très décentralisée et la flexibilité du marché du travail permet l'ajustement des effectifs et des horaires au rythme de l'activité ; les fusions/absorptions font émerger des firmes puissantes ; les innovations financières sont nombreuses sur les marchés financiers les plus importants du monde ; cette forme de capitalisme semble favoriser l'essor des innovations et des nouvelles technologies...

La prééminence apparente du capitalisme « marchand » s'inscrit dans un processus plus large de transformation du capitalisme. Dans son livre *le Nouveau Capitalisme* (Flammarion, 2001), Dominique Plihon décrit et analyse l'émergence progressive d'un « capitalisme actionnarial », succédant au « capitalisme managérial » (ou « capitalisme fordiste ») qui prévalait au cours des Trente Glorieuses. À partir des années 70, l'essoufflement de la croissance fordiste, le renouveau de la pensée libérale consécutif aux échecs des thérapies keynésiennes appliquées au cours des années 70, la globalisation financière et l'essor des nouvelles technologies de l'information et de la communication (NTIC) ont contribué à l'essor du « capitalisme actionnarial » (ou, selon la terminologie d'autres auteurs, « capitalisme patrimonial »).

Cette forme de capitalisme repose sur les caractéristiques suivantes : au pouvoir exclusif des managers se substitue celui des actionnaires (parmi lesquels des investisseurs institutionnels tels des fonds de pension, des organismes de placements collectifs, des compagnies d'assurances...) ; ceux-ci disposent de la capacité de nommer et de révoquer les membres des équipes dirigeantes dont l'activité ne permettrait pas de valoriser les cours des actions et ne générerait pas une rentabilité suffisante, source de distribution de dividendes. Ainsi, le partage du revenu de l'entreprise devient plus favorable aux actionnaires au détriment des salariés dont l'emploi peut être flexibilisé, voire supprimé, pour accroître la rentabilité financière des firmes. Dans cette perspective, l'entreprise est un actif financier, propriété des actionnaires (principe du *share holder*) et non une communauté humaine œuvrant dans l'intérêt général de ses membres (principe du *skate holder*).

Ainsi, la mondialisation impliquerait la convergence des formes nationales de capitalisme vers le modèle de capitalisme « marchand », traduisant une évolution historique du capitalisme, c'est-à-dire le passage à un « capitalisme actionnarial ». Ce modèle est d'autant plus prééminent que le modèle de substitution au capitalisme que voulaient constituer les pays socialistes d'Europe de l'Est et l'URSS s'est effondré au début des années 90.

b. – Comme le soutient Boyer, les formes nationales de capitalisme évoluent mais subsistent

Le capitalisme « marchand » connaît des défaillances qui peuvent hypothéquer son avenir. Il génère un accroissement des inégalités et de la pauvreté. Or, un niveau excessif d'inégalités peut nuire à la légitimité du capitalisme. Par ailleurs, la croissance peut en souffrir : multiplication des actes de délinquance, démotivation des travailleurs pauvres (*working poors*), ralentissement de la demande intérieure, renforcent le pessimisme et freinent la croissance de la demande.

De plus, le capitalisme « marchand » conduit à négliger les investissements en infrastructures et les services publics. Les premiers sont trop coûteux pour intéresser le secteur privé ; il revient alors à l'État de les prendre en charge mais, dans un contexte où l'impôt est jugé négativement, ils risquent d'être sacrifiés. Quant aux services publics, leur privatisation risque de faire passer au premier plan les préoccupations de court terme et de laisser de côté la partie non solvable de la population.

Plus globalement, il est acquis que le marché ne peut se passer de l'intervention de l'État. Selon l'économiste américain Richard Musgrave, l'État est en effet producteur de biens publics ; il doit limiter les inégalités et assumer une fonction de régulation. Il n'est donc pas fondé d'envisager un modèle de capitalisme « marchand » pur. De plus, les modalités d'intervention dans chacun des trois domaines définis par Musgrave sont multiples et valident l'existence de plusieurs formes de capitalisme.

Par ailleurs, les autres formes de capitalisme disposent d'atouts qui justifient leur pérennisation.

Selon Boyer, le capitalisme « méso-corporatiste » japonais est facteur d'innovations de processus par la mise en commun des savoir-faire des entreprises membres de *kereitsu* (groupes conglomeraux, réunissant des entreprises commerciales, industrielles et financières, liées par des participations croisées), par la mobilisation de la main-d'œuvre dont la stabilité et la fidélité sont facteurs de productivité. Les relations étroites entre milieux d'affaires et élites étatiques confèrent à l'État un rôle de coordination et d'impulsion dans une perspective de long terme. Cette forme de capitalisme est particulièrement apte à promouvoir le « processus d'hybridation de l'appareil productif » : il ne s'agit pas seulement de l'adaptation aux nouvelles conditions de la croissance mondiale mais plutôt d'une transformation plus profonde par emprunt à d'autres systèmes productifs en même temps qu'il y a recréation d'un système productif nouveau. Ainsi, par le passé, le toyotisme a emprunté certains traits du taylorisme et du fordisme tout en constituant une forme nouvelle d'organisation du travail.

Les autres formes de capitalisme disposent également d'atouts et connaissent aussi le processus d'hybridation analysé par Boyer. Ainsi, le capitalisme « social-démocratique », faiblement inégalitaire, fonde la compétitivité des firmes sur la polyvalence des travailleurs et leur formation, les investissements en infrastructures et le dialogue social. Le capitalisme « étatique » n'est pas non plus disqualifié : l'effort public dans le domaine des transports, des télécommunications, de la scolarisation..., contribue à l'amélioration de la compétitivité des firmes. De même, l'intervention publique dans le domaine de la recherche-développement est facteur de croissance.

Par conséquent, malgré quelques rapprochements, la convergence des nations vers un même modèle de société n'est pas inéluctable : la diversité culturelle subsiste et les formes nationales de capitalisme également.

CHAPITRE 8

Comment les firmes se multinationalisent-elles ?

Une firme multinationale (FMN) est une entreprise, le plus souvent de grande taille, qui, à partir d'une base nationale, implante plusieurs filiales dans un ou plusieurs pays étrangers, selon une stratégie conçue par une maison mère.

Depuis la seconde moitié du XIXe siècle, la multinationalisation des firmes prend de l'ampleur. Au cours de ces trente dernières années, ce mouvement s'est amplifié. L'essor des FMN se traduit par la croissance des investissements directs à l'étranger (IDE), accentuant l'internationalisation des économies nationales (et la mondialisation), et par l'émergence de plusieurs catégories de FMN.

1. – Les entreprises sont des acteurs de la mondialisation

a. – La délimitation des FMN est délicate

Une FMN comporte une maison mère et ses filiales. Celles-ci peuvent être détenues dans des proportions variables : certaines le sont à 100 % ; souvent, cette part est inférieure : la détention d'une part limitée de la propriété d'une entreprise peut suffire à en assurer le contrôle, dès lors que l'actionnariat est dispersé ou que la maison mère détient une minorité de blocage (34 % des votes aux assemblées générales des actionnaires)... Par exemple, en acquérant environ 37 % du capital de Nissan Motors, Renault s'est assuré le contrôle de cette firme automobile japonaise. Par ailleurs, les participations croisées (dont l'architecture est fréquemment très complexe) entre filiales et maison mère et/ou entre filiales assure l'autocontrôle du groupe.

La composition effective d'un groupe multinational ne repose pas sur les seules filiales. Par exemple, les firmes sous-traitantes juridiquement indépendantes d'un groupe sont *de facto* dépendantes économiquement de leur donneur d'ordres. Ainsi, Nike confie à plusieurs sous-traitants asiatiques la confection de chaussures de sport sur lesquelles sera apposée la marque de la FMN américaine. Par ailleurs, les sous-traitants, les fournisseurs, sont hiérarchisés : certains d'entre eux sont privilégiés dans la mesure où leur fonction est jugée essentielle par le donneur d'ordres. Celui-ci noue alors des liens durables avec les fournisseurs sélectionnés, développe des relations de coopération technique, voire financière... Les autres sous-traitants sont soumis à la concurrence et ne bénéficient pas de l'assurance de relations durables avec leur donneur d'ordres.

Dans de nombreux cas, les sous-traitants sont eux-mêmes des FMN, fournisseurs de plusieurs donneurs d'ordres. De plus, les FMN nouent entre elles des relations de coopération dans certains domaines (recherche-développement, production de parties de produits en commun, par exemple, des moteurs de voitures, des boîtes de vitesses...).

b. – Le développement des investissements directs à l'étranger des FMN participe à la mondialisation

Les investissements directs à l'étranger des FMN correspondent aux flux de capitaux générés par des entreprises développant leur activité productive à l'étranger (voir chapitre 1). L'essor des IDE repose sur plusieurs facteurs.

La déréglementation des flux de capitaux favorise l'essor des IDE. C'est notamment le cas depuis les années 80, bien que certaines entraves subsistent : par exemple, des réglementations nationales peuvent encore imposer aux filiales de s'approvisionner en biens auprès de fournisseurs locaux, au détriment de fournisseurs étrangers et donc des importations. C'est pour cette raison que l'OMC considère qu'il conviendrait d'accentuer la libéralisation des IDE.

Sur le plan macroéconomique, l'essor des IDE reflète les nécessités de la croissance capitaliste.

L'accumulation du capital exige des débouchés plus larges pour une production croissante. La concurrence entre les entreprises commande de réduire les coûts unitaires grâce aux économies d'échelle qu'autorise une production plus importante destinée à un marché plus vaste ou grâce à l'implantation d'unités de production dans des pays à bas salaires. La multiplication des zones régionales d'échanges contribue également à l'essor des IDE : par exemple, depuis 1993 la constitution du marché unique européen ouvre des perspectives nouvelles aux FMN, y compris non européennes.

Sur le plan microéconomique, la décision d'investir à l'étranger relève de plusieurs facteurs.

Chaque entreprise, désireuse de s'ouvrir sur l'extérieur, privilégie l'IDE à l'exportation dès lors qu'un calcul économique coûts/avantages laisse apparaître une espérance de gains plus élevée. Par exemple, installer une filiale dans un pays protégé par des barrières protectionnistes accroît la compétitivité-prix ; la proximité entre filiales et fournisseurs (ou clients) réduit également les coûts. L'ensemble de ces avantages peut constituer une perspective de gains plus élevés que celle qu'offrirait un accroissement des exportations.

2. – La multinationalisation des firmes repose sur différentes stratégies

a. – L'économiste Charles-Albert Michalet distingue plusieurs formes de FMN en fonction des stratégies qu'elles mettent en œuvre

– Les stratégies d'approvisionnement correspondent aux FMN primaires : celles-ci produisent des matières premières, des produits agricoles, pour répondre aux besoins des industries de transformation ; les firmes pétrolières correspondent à ce modèle (jusqu'à un certain point du fait de leur diversification depuis les années 70).

– Les stratégies de marché sont le fait de FMN disposant de filiales-relais qui produisent dans les pays étrangers plutôt que d'y exporter ; c'est par exemple le cas pour les entreprises productrices de biens de consommation durables : Toyota a implanté une filiale automobile à Valenciennes pour accroître ses parts de marché dans l'Union européenne. C'est aussi le cas de nombreuses FMN de services qui constituent aujourd'hui la part la plus importante des investissements à l'étranger provenant des pays développés. Il s'agit de banques, de compagnies d'assurances, d'institutions financières, de sociétés de commerce, d'agences de publicité, de compagnies de télécommunication, etc.

– Des FMN développent des stratégies de rationalisation, destinées à abaisser les coûts de production, notamment en implantant des filiales-ateliers dans des pays à bas salaires. Par exemple, Philips a installé une usine de production de téléphones mobiles en Chine.

– Enfin, des FMN mettent en œuvre une stratégie techno-financière : une firme de ce type fournit à une ou des entreprises indépendantes des actifs immatériels (un savoir-faire en gestion, des licences, une assistance technique...). En contrepartie, elle peut recevoir une part minoritaire du capital des entreprises bénéficiaires de ces investissements, voire constituer avec ces dernières une ou des joint-ventures ; la FMN perçoit alors une partie des bénéfices s'ajoutant aux royalties sur ses apports en actifs immatériels. Il s'agit donc de faire supporter tous les risques aux partenaires étrangers, en matière de production, de commercialisation, voire de financement, la rémunération de l'apport des actifs immatériels étant fixée *a priori*.

b. – Certains auteurs repèrent, depuis les années 80, l'émergence de FMN globales (ou transnationales)

Les FMN traditionnelles regroupent des filiales bénéficiant d'une grande autonomie dans leur rapport avec la maison mère et dont les produits sont adaptés aux spécificités des marchés nationaux. En revanche, les firmes multinationales globales (ou transnationales) sont des firmes organisées autour d'une stratégie définie centralement par la maison mère dont la direction, elle-même mondialisée, unifie la gamme de produits sur le marché mondial (ou sur de vastes zones), décide de la localisation des unités de production en instaurant une décomposition internationale des processus productifs (voir chapitre 1), constitue des réseaux avec des sous-traitants privilégiés et/ou d'autres FMN, développe un commerce captif (voir chapitre 3), recourt aux marchés des capitaux globalisés.

Coca-Cola, Exxon ou Microsoft, constituent des exemples de firmes globales.

Cependant, la distinction entre FMN traditionnelles et FMN globales simplifie la réalité. En fait, les FMN à vocation mondiale n'ignorent pas les spécificités nationales : la conception d'un produit mondial n'exclut pas certaines adaptations aux marchés sur lesquels interviennent les filiales. Par exemple, les restaurants appartenant au réseau de la firme américaine MacDonald' s ont adapté certains de leurs menus aux habitudes de consommation des pays où ils sont implantés.

La prise en compte des spécificités locales n'interdit pas à la maison mère d'une firme à vocation mondiale d'organiser la production du groupe au niveau international pour générer des économies d'échelle, par exemple en centralisant la recherche/ développement ou en spécialisant des filiales de manière que celles-ci alimentent plusieurs unités de production du groupe et sur un marché plus vaste que celui sur lequel elles sont implantées.

Par conséquent, les firmes à vocation mondiale tiennent compte des spécificités locales tout en mettant en œuvre une stratégie globale : cette « glocalisation » (global + local), selon la formule du fondateur de la firme Sony, Akio Morita, permet aux FMN d'accroître leur efficience au sein de l'économie mondiale.

La multinationalisation des firmes s'est traduite par l'essor des investissements directs à l'étranger, contribuant de ce fait à la mondialisation. Les FMN développent différentes stratégies qui les spécifient. Depuis une vingtaine d'années, l'émergence de FMN globales (ou transnationales), qui tendent à considérer le marché mondial comme un marché unique tout en prenant en compte les spécificités nationales, participent à la mondialisation en développant des stratégies de « glocalisation ».

CHAPITRE 9

La globalisation financière est-elle facteur d'instabilité de l'économie mondiale ?

La globalisation financière est aujourd'hui un des aspects les plus marquants de la mondialisation. Pour les économistes libéraux, l'extension des marchés financiers contribue à la croissance de l'économie mondiale. Cependant, la globalisation financière est aussi facteur de crises.

1. – La globalisation financière présente plusieurs avantages mais fait peser sur l'économie mondiale le risque de crises systémiques

a. – La globalisation financière peut être bénéfique

La globalisation financière est le processus par lequel se constitue un vaste marché mondial des capitaux, s'affranchissant des frontières politiques. Selon Henri Bourguinat (*Finance internationale*, PUF, 1995), elle repose sur trois processus (les « trois D ») :

– la déréglementation, conduite par les États, qui abolit les entraves aux flux de capitaux, favorise les innovations financières (nouveaux types de placements) et libéralise les transactions sur les marchés des changes ;

– la désintermédiation, qui permet aux agents à besoin de financement de recourir directement aux marchés financiers plutôt que de faire appel aux crédits bancaires ;

– le décloisonnement des marchés, qui se traduit par la suppression des barrières entre les différents marchés monétaires et financiers au sein de chaque pays et par l'ouverture vers l'extérieur des marchés nationaux des capitaux.

Conformément aux thèses libérales, la globalisation financière doit exercer plusieurs effets bénéfiques. Elle participe à une meilleure allocation des ressources qui facilite le financement des investissements par la mobilisation de l'épargne mondiale. Elle permet une diminution des taux d'intérêt du fait des innovations financières et de la concurrence entre les prêteurs. Elle offre une gamme plus étendue d'opportunités de placements permettant aux prêteurs de mieux répartir leurs risques. Elle impose aux États une discipline accrue : pour éviter les sorties de capitaux, ils doivent dorénavant réduire leurs interventions discrétionnaires dans l'économie (interventions des pouvoirs publics décidées en fonction des objectifs qu'ils jugent prioritaires) et respecter des règles destinées à fonder leur crédibilité (assainissement des finances publiques, indépendance des banques centrales...).

b. – La globalisation financière provoque une instabilité pouvant conduire à des crises systémiques

Le système financier international a été soumis à plusieurs crises depuis les années 80.

La globalisation financière, qui s'accélère depuis le début des années 80, a modifié la nature des crises financières. Aux crises de balances des paiements provoquées par un endettement extérieur excessif de plusieurs pays en développement ont succédé des crises systémiques résultant de la très forte interdépendance entre les acteurs financiers : quand l'un de ces acteurs est défaillant, les autres en ressentent les effets négatifs (leurs activités « font système »). Comme le système financier occupe une place croissante dans l'économie mondiale, celle-ci est à son tour déstabilisée.

C'est par exemple au risque systémique qu'a été confrontée l'économie mondiale à la suite de la crise asiatique de 1997-1998. Pour certains économistes, cette crise s'explique par la conjonction d'une panique des investisseurs financiers, d'erreurs des gouvernements dans leurs réactions face à la crise et d'interventions inadaptées des institutions internationales.

En effet, des faillites d'entreprises (en Corée du Sud), de banques (en Thaïlande), des incertitudes politiques..., ont provoqué des fuites de capitaux qui ont fait chuter les taux de change et les cours boursiers. Ces évolutions ont induit de nouvelles faillites et la contraction de la demande interne en Asie, d'autant plus que le FMI a exigé des banques locales qu'elles réduisent leurs prêts. Quant aux gouvernements nationaux, ils ont commis l'erreur d'arrimer leur monnaie au dollar. Or celui-ci s'est apprécié à compter de 1996 : la compétitivité était alors atteinte et les banques centrales devaient accroître leur taux d'intérêt et puiser dans leurs réserves de change pour préserver le cours de leur monnaie. Dès lors que cela n'a plus été possible, la panique s'est amplifiée.

Pour d'autres économistes, la crise est due à la myopie des agents intervenant sur les marchés financiers asiatiques : les déficits des balances courantes et l'insolvabilité des banques dans plusieurs pays d'Asie de l'Est et du Sud-Est auraient pourtant dû les alerter. Ils étaient en outre persuadés que les banques centrales des pays concernés et/ou l'État, voire les institutions internationales (FMI, Banque mondiale), interviendraient en dernier ressort en cas de difficulté. Ainsi, les investisseurs ont minimisé les risques de leurs placements. Quand ils ont mesuré les risques qu'ils encouraient, leur panique a été d'autant plus grande.

Débutant en Thaïlande, en juillet 1997, la crise s'est propagée à d'autres pays asiatiques du fait de leur interdépendance (le commerce intrazone représentait la moitié de leurs échanges, Japon inclus). En outre, les économies asiatiques émergentes étaient davantage en concurrence que complémentaires (par exemple, dans la branche électronique). La dépréciation du cours du change du baht thaïlandais (début juillet 1997) plaçait les firmes des autres pays de la zone en grande difficulté. Ces pays laissèrent alors se déprécier leur monnaie pour combler l'écart de compétitivité avec la Thaïlande.

Les difficultés asiatiques se sont ensuite répercutées sur le reste du monde : la croissance économique de la zone OCDE qui était de 3,6 % en 1997 a été ramenée à 2,3 % en 1998, en grande partie du fait de la crise asiatique.

La croissance du commerce international a été freinée notamment en direction et en provenance des pays impliqués directement par la crise. Mais il faut aussi prendre en compte les effets indirects : la contraction des exportations américaines vers l'Asie a pesé sur l'activité économique des États-Unis et ainsi, a freiné leurs importations en provenance d'Europe, par exemple. À son tour, celle-ci a enregistré un ralentissement de son activité économique. Les producteurs de produits primaires ont subi une baisse des cours en raison du recul de la demande des pays d'Asie ; la sidérurgie, la construction navale, ont également été affectées par la chute des prix. Les pays victimes de telles évolutions ont contracté leurs importations et subi un recul de leur croissance. Enfin, par effet de contagion, les capitaux ont fui les zones à risques pour gagner les places financières plus sûres (États-Unis, Europe), plaçant certains pays en grande difficulté (Brésil, Russie) : sorties de capitaux, faillites...

2. – L'analyse des crises systémiques oppose plusieurs approches

a. – Certains auteurs font reposer les crises systémiques sur l'importance et l'imperfection des marchés financiers

Dans son livre *Macroéconomie financière*, La Découverte, Collection Repères, 2001), Michel Aglietta montre que le risque systémique est d'autant plus élevé que trois facteurs sont réunis : les marchés financiers jouent un rôle important dans le financement de l'économie ; le degré de concentration bancaire est faible ; le modèle de banque universelle (banque pratiquant indifféremment des opérations à court, moyen ou long terme) est prédominant. En effet, la forte prégnance des marchés financiers accroît l'instabilité financière qui fragilise les banques faiblement concentrées d'autant plus qu'elles ont accru leurs activités financières ; provoqué par la méfiance des déposants à l'égard de leurs banques, un *run* de la clientèle vers les guichets aggrave d'autant la crise bancaire (retraits sur les comptes courants, ventes de titres...).

Depuis les années 70, la globalisation financière a induit une convergence des systèmes financiers français, japonais, britannique, allemand et américain vers une configuration qui accentue le rôle des marchés financiers et propage le modèle de banque universelle, mais préserve une forte concentration du système bancaire. Par conséquent, le risque systémique n'est pas maximum mais a été accru.

Selon Dominique Plihon (*les Cahiers français*, n° 301, mars-avril 2001, La Documentation française), la perception des causes des dysfonctionnements des marchés financiers oppose deux paradigmes fondamentaux :

– Pour les économistes libéraux, notamment ceux se réclamant de la nouvelle économie classique, les marchés sont efficients sauf lorsqu'ils sont perturbés par des facteurs exogènes, comme l'intervention inadaptée des pouvoirs publics. Préserver les conditions d'efficience des marchés financiers, c'est-à-dire se rapprocher au plus près du modèle de concurrence pure et parfaite, suffirait à éviter ou à limiter les crises financières.

– Pour d'autres économistes, d'inspiration keynésienne, l'instabilité financière résulte de facteurs endogènes : les comportements des agents et les imperfections des marchés provoquent leur dysfonctionnement. L'efficience des marchés financiers est donc loin d'être établie : ainsi, au XIXe siècle, des crises financières de grande ampleur sont survenues bien que l'intervention des pouvoirs publics sur les marchés financiers fût minime. Dans cette perspective, il est nécessaire que les pouvoirs publics interviennent pour réguler les marchés financiers. Il reste que les modalités de cette intervention ne sont ni prédéterminées ni forcément défavorables aux mécanismes de marché.

b. – L'imperfection des marchés financiers résulte pour une grande part d'une information déficiente et de comportements mimétiques

Les prêteurs ne disposent pas d'une information complète sur la capacité des emprunteurs à rembourser leurs emprunts ;

ils ajoutent alors une prime de risque aux taux d'intérêt, ce qui dissuade les emprunteurs porteurs de projets sains (investissements productifs, par exemple) mais nullement les emprunteurs à risques. De plus, les emprunteurs, à la recherche de rendements élevés pour l'usage des fonds qu'ils empruntent, accroissent de ce fait les risques de ne pas pouvoir rembourser leurs dettes, pénalisant les prêteurs. Enfin, lorsqu'une crise se déclenche, la situation des emprunteurs se dégrade et met en difficulté les prêteurs ; ceux-ci accroissent alors leur prime de risque, alourdissant d'autant les charges des emprunteurs et aggravant leur situation...

Par ailleurs, l'incertitude et l'imperfection de l'information induisent des comportements mimétiques qui accentuent l'instabilité financière. Ce comportement a été notamment décrit et critiqué par Keynes dans *la Théorie générale de l'emploi, de l'intérêt et de la monnaie* (1936) : les opérateurs se calent sur ce qu'ils croient être l'opinion moyenne des marchés. D'autres opérateurs calent leurs comportements sur ceux d'agents réputés compétents. Les comportements mimétiques alimentent les « prophéties auto-réalisatrices ». Par exemple, la crainte de la chute des cours boursiers induit des comportements mimétiques de ventes de titres qui concrétisent la prévision de chute des cours. Ce fut le cas lors du krach boursier de 1987.

c. – Des auteurs soutiennent que l'instabilité financière est inhérente à l'évolution cyclique de l'économie capitaliste

Certaines analyses, inspirées des thèses de Schumpeter, expliquent l'instabilité financière par la « destruction créatrice » provoquée par les innovations financières et les nouvelles technologies de l'information qui facilitent les comportements spéculatifs. Dans le même temps, la globalisation instaure progressivement un ordre nouveau qui pourra finir par soutenir le retour à une phase de croissance longue. Mais, pour un temps plus ou moins long, elle reste source d'instabilité tant qu'une régulation efficiente n'a pas été mise en œuvre.

D'autres analyses lient l'instabilité financière au cycle des affaires. Les entreprises s'endettent en phase d'expansion pour financer leurs investissements, dans la perspective de profits accrus. Les taux d'intérêt augmentent du fait d'une demande de crédits croissante et des politiques anti-inflation menées par les pouvoirs publics. Survient le moment où les entreprises, fragilisées car surendettées, ne peuvent plus faire face à leurs obligations financières : elles doivent brader leurs produits pour recueillir au plus vite des liquidités et/ou font faillite, provoquant une crise financière qui ouvre une phase de dépression.

Cette analyse rappelle celle, développée au début des années 30, par l'Américain Irving Fisher : pour cet économiste et mathématicien, l'expansion accroît les perspectives de profits, ce qui stimule le cours des actions. Les entreprises sont incitées à emprunter tant que les taux d'intérêt réels sont inférieurs aux taux de rendement économique (effet de levier) ; leur endettement s'alourdit, menaçant leur solvabilité, alors que les cours boursiers s'accroissent (bulle spéculative). Quand la bulle éclate, les entreprises bradent leurs produits et les actionnaires vendent leurs actions, pour se procurer les liquidités qui leur sont nécessaires ; comme les prix baissent, la valeur réelle des dettes augmente ; en outre, les prix baissent plus que les taux d'intérêt : les taux réels augmentent et alourdissent la charge de la dette... Les entreprises bradent leurs produits et/ou font faillite, etc. La dépression devient cumulative et l'intervention de l'État est nécessaire pour stopper la spirale déflationniste.

3. – Il est possible de réguler la globalisation financière selon différentes modalités

a. – La surveillance des institutions financières peut permettre de prévenir les crises financières

La régulation de la globalisation financière consiste à mettre en œuvre des mesures pour prévenir et gérer les crises financières. La surveillance du système financier peut y contribuer.

La Banque des règlements internationaux (BRI), dont le siège est à Bâle, en Suisse, est une institution qui permet aux banquiers centraux, membres de son conseil d'administration, de débattre de questions intéressant l'évolution des marchés financiers. Au sein de la BRI, le Comité de Bâle, qui réunit les banques centrales des principales puissances mondiales, a établi, en 1988, le ratio Cooke imposant aux banques une limite au volume de leurs opérations (en fonction du montant de leurs fonds propres), afin de les inciter à la prudence (d'où l'expression « ratio prudentiel ») et ainsi de ne pas inquiéter les marchés.

La surveillance (ou supervision) des marchés financiers intervient également dans d'autres domaines. Par exemple, le Forum de stabilité financière (FSF), créé en 1999 sous l'égide du G7, doit contribuer à l'échange d'informations et à la coordination entre autorités nationales, institutions internationales (Banque mondiale, FMI...) et organismes de supervision internationaux chargés de la surveillance des marchés. Les réunions du FSF se tiennent dans les locaux de la BRI. Ses travaux (qui en sont à leur début) portent sur la réglementation des fonds spéculatifs, la surveillance des mouvements de capitaux, l'amélioration de l'information des agents et l'instauration d'une réglementation transparente dans les paradis fiscaux.

Par ailleurs, la stabilisation du système financier international nécessite des actions à l'encontre des paradis fiscaux et des pays non coopératifs. Outre l'action du FSF (qui a publié une liste de paradis fiscaux non coopératifs), le Groupe d'action financière (GAFI), créé en 1989 sous l'égide du G7, composé de 29 pays et de deux organisations internationales (la Commission européenne et le Conseil de coopération du Golfe), a pour mission de contribuer à la lutte contre le blanchiment de l'argent...

b. – La nécessité de gérer les crises financières implique l'existence d'un prêteur en dernier ressort

Le prêteur en dernier ressort est une instance chargée de fournir des liquidités (création monétaire et prêts à court terme) aux institutions bancaires et financières dans l'incapacité de faire face à leurs engagements à court terme. Cette fonction est primordiale en cas de crise financière pour limiter son ampleur en évitant les faillites des établissements bancaires et des institutions financières.

Au niveau national, le prêteur en dernier ressort est la Banque centrale. Au niveau international, l'absence de banque centrale impose que le rôle du prêteur en dernier ressort soit assuré par les banques centrales des pays impliqués par les crises financières ou, comme ce fut le cas lors de la crise asiatique, par un consortium coordonné par le FMI associant des banques centrales et des opérateurs privés (notamment, des institutions financières) pour fournir au marché les liquidités nécessaires.

L'institution d'un prêteur en dernier ressort se heurte à d'importantes limites.

– Il s'expose au risque (ou aléa) moral : sachant qu'elles pourront toujours être secourues, les institutions financières intervenant sur les marchés financiers s'exposeront davantage aux risques. C'est pourquoi le prêteur en dernier ressort ne devrait soutenir que les institutions financières viables mais en manque de liquidités ; en revanche, les institutions dont la solvabilité est entamée du fait de placements trop hasardeux devraient être condamnées à la faillite. En outre, les concours du prêteur en dernier ressort devraient être suffisamment coûteux pour limiter le risque moral. Toutefois, la taille de certaines institutions est telle que leur défaillance créerait un risque systémique, contraignant le prêteur en dernier ressort à les soutenir (principe du « *too big to fail* »).

– Seules les grandes banques centrales peuvent jouer le rôle de prêteur en dernier ressort au niveau mondial mais toutes ne sont pas prêtes à le faire ; en outre, leur coopération ne va pas de soi et peut se heurter au comportement de passager clandestin (chaque banque centrale a intérêt à ce que les autres interviennent sans qu'elle-même soit partie prenante dans l'intervention).

Le FMI a joué partiellement le rôle de prêteur en dernier ressort au cours des crises financières des années 90. Mais sa fonction de création monétaire (émission de droits de tirage spéciaux ou DTS) est restreinte ; par ailleurs, les fonds dont il dispose sont limités malgré plusieurs mesures qui ont élargi ses marges d'action (augmentation du capital du FMI, autorisation de nouveaux emprunts et possibilité d'octroyer de nouveaux crédits pour pallier les effets des crises financières). Enfin, et surtout, le rôle de prêteur en dernier ressort qu'exerce le FMI suppose une volonté politique des puissances dominantes (en particulier des États-Unis) qui décideraient d'élargir le pouvoir de création monétaire du FMI et/ou d'accroître ses prérogatives. Cette volonté ne semble pas être très forte.

c. – La régulation de la globalisation financière pourrait passer par le contrôle de la circulation des capitaux

Au cours des années 70, l'économiste américain James Tobin (prix Nobel d'économie en 1981) propose de « mettre quelques grains de sable dans les rouages de la finance internationale » en taxant, à faible taux, les transactions sur les marchés des changes. L'accroissement du coût de chaque opération de vente ou d'achat de devises est susceptible de freiner les attaques spéculatives, ce qui limite les mouvements de capitaux volatils et permet de stabiliser les changes. Par ailleurs, les fonds recueillis pourraient participer au financement de programmes d'aide au développement.

Cette proposition donne lieu à des débats :

– Cette taxe ne paraît valide que si elle est adoptée par l'ensemble des pays, ce qui est peu probable. Cependant, son adoption par le G7 ou le G8 pourrait suffire à inciter les autres pays à en faire autant (mais les États-Unis et la Grande-Bretagne semblent hostiles à une telle taxe) ; ensuite, pour parer à la fuite des capitaux vers les paradis fiscaux et vers les pays refusant d'appliquer la taxe, il est possible d'envisager une taxe élevée, appliquée à ces capitaux dès lors qu'ils reviendraient sur les marchés des changes du reste du monde, ce qui ne peut manquer de se produire tôt ou tard.

– La nouvelle réglementation pourrait être contournée en raison des innovations financières. C'est pourquoi les promoteurs de la taxe Tobin proposent de l'appliquer à tout mouvement de capitaux spéculatifs (mais l'identification de tels mouvements n'est pas évidente).

D'autres formules de contrôle des capitaux sont envisageables. Par exemple, au début des années 90, le Chili a appliqué des réserves obligatoires aux capitaux à court terme entrant sur son territoire, pour en limiter le volume ; au cours de la crise asiatique, l'État malaisien a limité les sorties de capitaux des Malaisiens et instauré un contrôle des changes.

L'expérience de ces deux pays montre que les mesures appliquées ont été efficaces parce que les opérateurs sur les marchés financiers ont considéré qu'elles étaient un moindre mal dans un contexte donné. Mais, sans réformes structurelles majeures destinées à assainir l'économie nationale, il n'est pas certain que de telles règles puissent être durablement viables et en tout cas elles sont difficilement transposables à l'identique à d'autres pays.

La globalisation financière peut contribuer à la croissance mondiale sans exclure l'éventualité de crises de grande ampleur. Les risques d'instabilité financière qu'induit la globalisation financière impliquent la nécessité d'une régulation dont les modalités font encore l'objet de vifs débats.

CHAPITRE 10

L'État a-t-il encore un rôle à jouer dans une économie mondialisée ?

La mondialisation semble impliquer la réduction du pouvoir d'intervention des États. En effet, la porosité des frontières aux flux d'échanges internationaux accentue les interdépendances entre les pays ; de ce fait, les États ne semblent plus pouvoir assumer pleinement leur rôle, y compris dans l'exercice de leurs fonctions régaliennes.

1. – Malgré les contraintes qu'impose la mondialisation, les fonctions régaliennes de l'État sont préservées

a. – La sécurité intérieure et extérieure des pays paraît être menacée

La mondialisation favorise la libre circulation des biens, des services, des capitaux et des hommes ; de ce fait, elle contribue, dans une certaine mesure, à l'extension de la criminalité : en effet, le champ d'activité des criminels, des trafiquants, s'élargit ; la globalisation financière permet de recycler l'argent issu de trafics et d'échapper frauduleusement aux impôts et charges grâce à la création de firmes fictives au sein de paradis fiscaux.

Par ailleurs, la délinquance trouve dans la pauvreté l'un de ses déterminants majeurs. Or la mondialisation peut accroître les inégalités et la pauvreté (voir chapitre 4).

La mondialisation n'est pas non plus sans effets sur la sécurité extérieure des États.

La défense du territoire est plus difficile à assurer : en effet, la mondialisation des échanges de biens facilite les transports de matières dangereuses et d'armes pouvant alimenter le terrorisme international dirigé contre les États. La libre circulation des hommes et des capitaux agit dans le même sens. En outre, la diffusion du progrès technique et des connaissances qui accompagne la mondialisation facilite les activités d'espionnage.

Par ailleurs, la mondialisation de la criminalité, en portant atteinte à la sécurité intérieure des États, est préjudiciable à leur sécurité extérieure. Par exemple, les dirigeants politiques américains considèrent que la prolifération de la drogue dans la société américaine nuit à la sécurité extérieure des États-Unis en affaiblissant le corps social, en provoquant des tensions internes et en alimentant la corruption. C'est pourquoi, depuis les années 80, le Département de la Défense a engagé plusieurs opérations contre les trafiquants et les producteurs de drogue hors du territoire national.

b. – Malgré les difficultés qu'il rencontre dans l'exercice de ses missions, l'État contribue encore à garantir la sécurité intérieure et extérieure

Dès lors que la mondialisation menace la sécurité intérieure et extérieure des pays, le renforcement des fonctions régaliennes de l'État est légitimé :

– Une enquête réalisée par la Banque mondiale en 1996 confirme l'importance des fonctions régaliennes de l'État dans le processus de développement : garantir la sécurité des personnes et des biens, appliquer les lois sans arbitraire, éradiquer la corruption, instaurer un climat de confiance est propice à l'essor de l'activité économique. Toutefois, la réalisation de ces objectifs nécessite des mesures étatiques hors du seul champ des fonctions régaliennes. Ainsi, dans son livre *Un nouveau modèle économique*, (éd. O. Jacob, 2000), Amartya Sen souligne que pour lutter contre la corruption, « les politiques publiques [...] doivent aussi faciliter et garantir le débat public ». Pour Sen, le respect des libertés fondamentales et des règles de la démocratie, la diffusion de la scolarisation ou l'accès à la santé, conditionnent l'efficacité de la lutte contre la corruption. Le rôle de l'État dans l'économie mondialisée doit donc dépasser le champ de ses fonctions régaliennes.

– Préserver la sécurité extérieure des pays implique la mobilisation de ressources pour financer notamment les dépenses militaires. Toutefois, les effets sur la croissance et le développement de telles dépenses sont discutés : ainsi, le Programme des Nations unies pour le développement (PNUD) préconise de réduire les dépenses militaires au profit des dépenses civiles pour accroître le niveau de développement humain dans les PED ; une autre approche fait valoir que les dépenses militaires non seulement préservent la sécurité mais également soutiennent l'activité économique, créent des emplois. Le niveau adéquat des dépenses militaires (et plus largement des dépenses publiques destinées à assurer la sécurité extérieure) est donc sujet à débats. Par conséquent, s'il est certain que les menaces qu'exerce la mondialisation sur la sécurité extérieure des pays justifient l'interventionnisme public, le niveau et les modalités de cet interventionnisme sont à définir pays par pays.

Par ailleurs, le souci de préserver la sécurité extérieure menacée par la mondialisation incite les États à collaborer davantage. Par exemple, Europol en Europe, ou Interpol au niveau international, assurent une collaboration entre les polices nationales ; au sein de l'Union européenne, la coopération juridique entre les États est renforcée ; en matière militaire, l'OTAN contribue au renforcement de la sécurité des pays membres en prenant en compte, depuis l'effondrement du bloc socialiste au début des années 90, de nouvelles menaces (prolifération d'armes bactériologiques ou chimiques, terrorisme...).

2. – La mondialisation menace les fonctions économiques et sociales de l'État mais celui-ci dispose encore de certaines prérogatives

a. – La mondialisation met en cause l'interventionnisme de l'État

Dans une économie ouverte sur l'extérieur, l'intervention de l'État en matière de production de biens collectifs, de redistribution et de régulation conjoncturelle, est confrontée aux contraintes de la compétitivité.

L'activité de l'État nécessite la mobilisation de moyens pour financer ses dépenses. Selon de nombreux libéraux, la fiscalité pèse sur les profits des entreprises, entamant l'incitation à investir et restreignant donc les gains de productivité. De manière générale, une imposition trop forte conduit à une limitation de l'offre. En outre, les capitaux, mais aussi les travailleurs les plus qualifiés, fuient les zones à hauts taux d'imposition.

De plus, l'endettement public qui résulte de l'activisme de l'État pèse sur les taux d'intérêt, freinant l'investissement et donc la compétitivité des firmes. Cet endettement peut ébranler la confiance des marchés financiers et générer une fuite de capitaux qu'un relèvement des taux d'intérêt tentera d'enrayer au détriment de l'investissement et donc de la compétitivité.

Par ailleurs, les politiques budgétaires de relance destinées à réduire le niveau du chômage sont difficilement envisageables du fait de la mondialisation.

L'accroissement du déficit public consécutif aux politiques de relance peut inquiéter les marchés, qui y voient un signe de mauvaise gestion des finances publiques et une source potentielle d'inflation (la relance accentue les pressions inflationnistes). La globalisation financière peut alors se traduire par des sorties de capitaux préjudiciables à l'activité économique et aux taux de change, dont la dépréciation implique une inflation importée confortant les anticipations inflationnistes des agents économiques.

Une autre approche montre que la relance, faisant croître le revenu national, augmente dans le même temps la demande de monnaie et donc les taux d'intérêt, d'où un recul de l'investissement. En outre, la hausse des taux d'intérêt induit une entrée de capitaux ; la hausse du taux de change qui en résulte freine les exportations. L'effet de relance budgétaire est donc annihilé.

La mise en œuvre de politiques monétaires de relance pose également problème. Elle peut inquiéter les marchés du fait des anticipations inflationnistes qu'elles alimentent et, ainsi, amplifie les sorties de capitaux provoquées par la baisse des taux d'intérêt. De plus, la baisse du taux de change consécutive aux sorties de capitaux induit une inflation importée...

b. – Cependant, l'interventionnisme de l'État n'est pas à rejeter, dans une économie mondialisée

La production des biens collectifs contribue au renforcement de la compétitivité des firmes installées sur le territoire national. L'attractivité des pays dépend de la stabilité de leur régime politique, de la qualité de leur système de protection sociale et de leur système éducatif, ainsi que du niveau de leurs infrastructures. Une population mieux éduquée, mieux soignée, sera plus productive ; même si le coût de la main-d'œuvre est élevé du fait des prélèvements destinés à financer le système éducatif et la protection sociale, les gains de productivité abaisseront les coûts unitaires.

Cette analyse est celle de la théorie de la croissance endogène qui réhabilite l'État dont les dépenses dans les domaines de la formation, de la recherche-développement ou des infrastructures, accroissent la productivité des facteurs de production.

Par ailleurs, l'État intervient pour internaliser les externalités. Par exemple, dans le domaine de la pollution, il peut fixer des règles pour permettre l'instauration de droits à polluer ou adopter le principe du pollueur payeur. La mondialisation exige d'autant plus ce type d'intervention que la croissance de la production liée à l'extension de la sphère des échanges internationaux accentue les risques de pollution.

Dans une économie mondialisée, la fonction redistributrice de l'État reste également fondée.

La mondialisation peut provoquer l'accroissement des inégalités et de la pauvreté. Des inégalités excessives nuisent à la sécurité intérieure (voir *supra*) et à la croissance. Par exemple, dans certains PED, on a pu constater les dégâts économiques occasionnés par la croissance des inégalités : l'essor de la délinquance, la désorganisation de l'économie, ont entravé les entreprises dans leur activité productive et freiné la croissance. Ainsi, l'intervention de l'État (prélèvements revenus de transfert) pour réduire les inégalités liées à la mondialisation est justifiée.

Dans un ouvrage collectif (*Mondialisation, les mots et les choses*, éd. Karthala, 1999), Gérard Kébabdjian remarque que la redistribution « n'est pas [...] un problème d'ordre technique. Le problème est avant tout d'ordre politique, celui de la faisabilité sociale de cette redistribution ». En d'autres termes, le fait que l'État puisse ou non assurer sa fonction redistributrice dans une économie mondialisée relève des choix politiques des sociétés et des groupes sociaux qui les composent : si les gagnants de la mondialisation refusent les prélèvements en faveur des perdants et disposent de la force politique nécessaire à imposer leur choix, l'intervention publique sera entravée, voire disqualifiée. Mais ce scénario n'a rien d'inéluctable.

La régulation conjoncturelle est, elle aussi, envisageable. L'insertion des pays dans l'économie mondiale induit effectivement des contraintes supplémentaires qui n'ôtent cependant pas tout pouvoir d'intervention aux États. Ainsi, au début des années 90, les États-Unis ont fait face à la récession par une politique monétaire expansionniste et l'accroissement du défit budgétaire ; en 1993, le nouveau gouvernement français d'Edouard Balladur laisse le déficit budgétaire se creuser sous l'effet de la récession pour stimuler la croissance (stabilisateurs automatiques), la politique monétaire restant restrictive...

En outre, la coordination internationale des politiques conjoncturelles peut accroître l'efficience des politiques conjoncturelles des États. Ainsi, l'économiste Pierre-Alain Muet voit dans la coordination insuffisante des politiques économiques en Europe la cause de la montée du chômage depuis les années 70. La pratique récurrente de politiques de rigueur a fait croître le chômage. Il en aurait été tout autrement si une réelle coordination entre les pays avait été mise en œuvre pour lutter prioritairement contre le chômage.

Il ressort de l'expérience des principaux pays développés au cours des vingt dernières années que l'efficience des politique de régulation conjoncturelle résulte, d'une part, du pragmatisme des pouvoirs publics (ils agissent davantage en fonction des événements que de choix doctrinaux figés) et, d'autre part, de la qualité de la coordination entre l'État et la Banque centrale, la coordination internationale des politiques économiques pouvant ajouter ses effets bénéfiques.

Sur le plan structurel, l'interventionnisme n'est pas non plus disqualifié. Les politiques commerciales stratégiques (voir chapitre 3) illustrent l'intérêt de l'interventionnisme public : l'expérience de pays d'Asie, la Corée du Sud et Taiwan notamment, montre que de telles politiques sont efficaces. De même, le rôle de l'État en matière de restructuration industrielle n'est pas négligeable : il peut contribuer à l'émergence de « champions nationaux » compétitifs...

L'État a toujours un rôle à jouer dans l'économie mondialisée. La constitution d'un vaste marché mondial tendant à s'affranchir des frontières politiques n'interdit pas aux États d'intervenir, notamment en coordonnant leurs interventions.

Conclusion

Dans son livre *la Mondialisation heureuse* (Plon, 1997), Alain Minc expose les vertus de la mondialisation et promeut les lois du marché : « Le marché n'est pas un état de culture de la société, le choix d'un système parmi d'autres ; c'est un état de nature. » Dans cette perspective, les économies nationales doivent s'adapter aux « lois de la gravitation économique », c'est-à-dire ne pas enfreindre les règles d'un marché devenu mondial.

Plus réservé sur les vertus supposées de la mondialisation, Stiglitz considère que « si, dans beaucoup de cas, les bienfaits de la mondialisation ont été moindres que ne l'affirment ses partisans, le prix à payer a été plus lourd ; l'environnement a été détruit, la corruption a gangrené la vie politique et la rapidité du changement n'a pas laissé le temps aux pays de s'adapter culturellement. Les crises, qui ont apporté dans leur sillage le chômage de masse, ont légué des problèmes durables de dissolution sociale » (*la Grande Désillusion*). Stiglitz, bien que favorable à la mondialisation, en dénonce les effets négatifs sur de nombreux pays en développement ; ses propos pourraient également traduire les difficultés rencontrées par les pays développés.

Ainsi, les débats autour de la mondialisation et de ses effets sont pour une grande part toujours ouverts.

Si elle ne constitue pas totalement un phénomène nouveau, la mondialisation actuelle dépasse en intensité celle du début du XXe siècle (voir chapitre 1). L'accélération du processus de régionalisation depuis les années 60, y participe (voir chapitre 2).

Les débats sur la mondialisation réactivent les controverses entre les partisans du libre-échange et ceux du protectionnisme. Néanmoins, l'indéniable extension du libre-échange depuis une cinquantaine d'années ne disqualifie pas pour autant les arguments protectionnistes (voir chapitre 3), d'autant plus que les effets de la mondialisation sur les pays développés et les pays en développement ne sont pas nécessairement positifs (voir chapitres 4 et 5). Plus globalement, il n'est pas certain que la mondialisation garantisse aux générations futures un bien-être au moins équivalent à celui des générations actuelles : elle pourrait mettre en péril le développement durable (voir chapitre 6).

Par ailleurs, il est peu probable que la mondialisation provoque la convergence des nations vers un même modèle de société : la diversité culturelle et les formes nationales de capitalisme subsistent, même si des rapprochements sont repérables (voir chapitre 7). D'ailleurs, les firmes multinationales tiennent toujours compte des spécificités nationales et culturelles : les firmes multinationales globales qui considèrent le marché mondial comme un marché unique sont encore peu nombreuses (voir chapitre 8).

Enfin, malgré des effets positifs, la mondialisation (singulièrement la globalisation financière) accentue les risques d'instabilité de l'économie mondiale qui, conjointement avec d'autres méfaits, justifie que les États ne restent pas inactifs d'autant plus qu'ils disposent de marges de manœuvre (voir chapitres 9 et 10).

En 1926, dans un article intitulé « *The end of laissez-faire* », Keynes expose ainsi sa position sur le capitalisme : « J'estime que le capitalisme bien compris est vraisemblablement plus apte que tout autre système connu à procurer des avantages économiques, mais qu'en lui-même il est à plusieurs points de vue des plus regrettables. Notre tâche est de mettre sur pied une organisation sociale aussi efficace que possible qui n'offense pas notre conception de la dignité de l'existence. » En y substituant le terme de « mondialisation » à celui de « capitalisme » (d'ailleurs, la mondialisation n'est pas autre chose que l'extension du capitalisme à l'échelle du monde), la citation de Keynes révèle le défi lancé actuellement à la communauté internationale : comment, dans l'économie mondialisée, « mettre sur pied une organisation sociale aussi efficace que possible qui n'offense pas notre conception de la dignité de l'existence » ?

Les débats sur la mondialisation montrent que les pays ne sont pas confrontés à la seule alternative consistant dans le choix entre la soumission totale à un marché qui tend à devenir mondial, au point de pouvoir évincer l'État, et un interventionnisme niant toute vertu aux mécanismes de marché. Il y a en effet de nombreuses options intermédiaires, dont les modalités varient selon le lieu et l'époque, qui permettent, en combinant marché et État, de concilier efficacité et respect de la dignité humaine.

Bibliographie

ABDELMALKI L., CROZET Y., DUFOURT D. et SANDRETTO R., *les Grandes Questions de l'économie internationale*, Nathan, 2001.

ADDA J., *la Mondialisation de l'économie* (2 tomes), La Découverte, collection « Repères », 2000.

AUBIN CH. et NOREL PH., *Économie internationale*, collection « Points-Économie », Le Seuil, 2000.

GEORGE S. et WOLF M., *Pour et contre la mondialisation*, Grasset, 2002.

SIROEN J.-M., *la Régionalisation de l'économie mondiale*, La Découverte, collection « Repères », 2000.

STIGLITZ J., *la Grande Désillusion*, Fayard, 2002.

« Le commerce mondial », *les Cahiers français*, n° 299, novembre-décembre 2000, La Documentation française.

« Bourse et marchés financiers », *les Cahiers français*, n° 301, mars-avril 2001, La Documentation française.

« Mondialisation et inégalités », *les Cahiers français*, n° 305, novembre-décembre 2001, La Documentation française.

Index

Aubin Imprimeur
LIGUGÉ, POITIERS

Achevé d'imprimer en août 2003
N° d'impression L 65607
N° d'édition 715 7801 / 02
Dépôt légal août 2003 / Imprimé en France